Tout savoir sur les graines germées

Cultures, recettes et bienfaits

Marcel Monnier

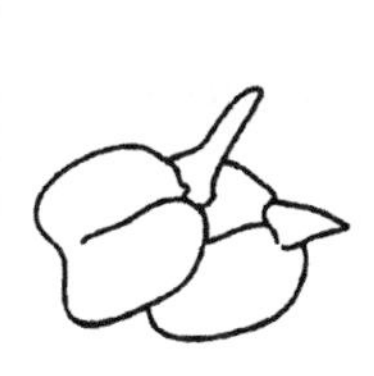

ISBN 978-2-940430-43-7

À la Vie et à son merveilleux Magicien.
À mon ami Ram Pal et à toute sa famille en Inde pour l'accueil et les moments de bonheur partagés avec eux pendant la rédaction de ce livre.
À ma famille, pour l'amour et le soutien inconditionnel prodigué tout au long de ces années et chez qui ce livre a été finalisé.
À Pierre (Parva), pour son merveilleux travail d'illustration, fort apprécié.
À Serge et Catherine, pour les corrections et les conseils judicieux apportés à cet ouvrage.
Et à vous tous, Nelly, Jean-Paul, Tal, Freejoy, qui avez contribué, chacun à votre manière, à l'émergence d'un écrivain et d'un nouveau livre.

Préface du docteur Christian Tal Schaller

Les graines germées, livre de culture

Il y a plus de trente ans, j'ai eu le privilège de rencontrer le docteur E. B. Szekely, l'un des grands penseurs du vingtième siècle et l'un des pères de la médecine holistique moderne. Lors d'un séminaire que le professeur donna au Costa-Rica, je l'entendis expliquer que les graines germées étaient l'un des secrets les plus importants des esséniens car ils leur devaient leur santé et leur vigueur. Passionné par cette découverte, je découvris ensuite qu'aux États-Unis, une femme, Anne Wingmore, avait fondé l'Institut Hippocrate à Boston pour enseigner les fondements de l'alimentation vivante dont les graines germées sont le pilier central. Je m'empressai d'aller visiter ce centre et liai amitié avec son directeur Brian Clement, qui fonda par la suite l'Institut Hippocrate de West Palm Beach en Floride. Ce centre, depuis plus d'un quart de siècle, accueille des personnes du monde entier qui veulent se délivrer de leurs maux en apprenant les techniques de la vie saine que les esséniens avaient clairement définis il y a plus de deux mille ans. Brian vint à Genève pendant plusieurs mois pour nous enseigner la pratique des graines germées, pratique que j'ai décrite dans mon livre *Graines germées, santé, vitalité, beauté*. Grâce à cet ouvrage et aux livres sur les esséniens que nous avons publiés, grâce aussi aux cours que nous avons organisés pendant une vingtaine d'années, des milliers de gens ont découvert les graines germées et cette diététique qualitative qui permet de se délivrer de l'intoxication et des maladies engendrées par l'alimentation industrielle moderne.

Parmi tous ceux qui se sont passionnés pour les graines germées, personne à ma connaissance ne s'est autant investi que Marcel Monnier. Avec la rigueur d'un scientifique accompli, il a étudié la germination sous tous les aspects, sous tous les climats et dans tous les milieux.

En 1984, il créa avec d'autres passionnés la première société de production industrielle de graines germées à Genève... puis tel un semeur, en fit fleurir d'autres grâce à des germoirs qu'il a mis au point. Si on trouve des graines germées partout dans les grandes surfaces depuis quinze ans en Suisse, on le doit en grande partie à ce précurseur, à son esprit d'entreprise et à sa conscience de l'intérêt public.

Il y a une dizaine d'années, j'ai invité Marcel Monnier a écrire un livre pour partager son immense expérience dans ce domaine. Souvent par la suite, je lui rappelais ma demande et, avec un souci remarquable de perfection, il répondait qu'il n'était pas encore tout à fait prêt. Le livre que vous avez entre les mains représente une somme de travail extraordinaire. Tout ce qui est présenté a été passé au crible de la science, expérimenté et testé de mille manières.

L'ouvrage de Marcel Monnier fera date et s'imposera pendant de nombreuses années comme la bible des graines germées. Il enrichit tout ce qui a déjà été publié dans ce domaine d'une foule de renseignements d'une immense valeur pratique et pédagogique.

Le Docteur Christian Tal Schaller est depuis plus de trente ans l'un des pionniers de la médecine holistique, qui s'occupe des quatre corps de l'être humain : physique, émotionnel, mental et spirituel.

Avant-Propos de Serge Uebersax

Dans notre monde moderne, une immense quantité d'informations est à portée de main du commun des mortels. Pourtant, quand on parle d'alimentation, il subsiste un singulier paradoxe : on ne sait pas vraiment trier le bon grain de l'ivraie. Autrement dit, on ne sait plus très bien ce que l'on mange et comment se nourrir sainement. On peut dire sans exagération que trois personnes sur quatre ne savent pas s'alimenter correctement. Faute de temps, par paresse ou par ignorance, quand faire à manger devient une corvée, on déglutit à-la-va-vite tout et n'importe quoi.

On avale des produits bon marché, prêts-à-l'emploi mais dénaturés et dévitalisés, sans se soucier des conséquences néfastes sur l'organisme. On fait donc un mauvais choix et une fausse économie.

On ne le répètera jamais assez, perdre la santé c'est perdre la joie de vivre. Il suffit d'une maladie ou d'un accident pour nous rappeler la vulnérabilité du corps et les mauvais traitements qu'on lui inflige quotidiennement. Si la vie est coriace, ces épreuves douloureuses nous confirment également sa fragilité.

Notre corps mérite soins et respect car il est le temple de l'esprit. Manger sain c'est manger simple et naturel. Si vous savez ce qui doit entrer dans votre organisme, vous tenez la clé de votre santé et de votre bien-être. Les graines germées incarnent l'aliment idéal à tous points de vue, et les consommer vous donne cette clé.

Il y a quelques années, j'ai eu le bonheur de rencontrer Marcel Monnier. Homme remarquable, grand voyageur, cultivé et modeste. Empreint de sagesse par sa grande expérience de la vie et par sa connaissance de la santé, il a su enseigner à beaucoup de personnes comment s'alimenter correctement.

Le privilège m'a été donné de corriger ce manuscrit et c'est ainsi que j'ai appris à faire germer les graines moi-même, en profitant des bienfaits quasi immédiats qu'elles procurent sur la santé, et durables quand on les consomme régulièrement.

Graines germées, livre de cultures est un ouvrage pratique et concis qui ne s'érige pas en doctrine mais vous met en garde des conséquences liées aux mauvaises habitudes alimentaires avec leur triste cortège de maladies. Il s'avère indispensable à toute personne qui se demande comment améliorer et maintenir sa forme et sa vitalité, sans artifice et sans médicament. Il nous révèle le secret de culture de chaque graine et nous apprend, en toute facilité, à les faire germer soi-même à la maison. Enfin, il nous propose plusieurs recettes à découvrir, faciles à préparer et surtout à déguster !

Je suis convaincu que cet ouvrage devrait non seulement se trouver dans tout foyer, mais aussi servir de référence didactique en matière de nutrition et de santé publique dans les écoles et les collèges. Il apporterait aux enfants comme aux adultes la connaissance des besoins vitaux du corps humain ainsi que les moyens infaillibles de se nourrir sainement pour un coût dérisoire.

Alors, en un mot comme en cent : vive les graines germées !

Les graines germées sont des aliments frais, naturels, bon marché, écologiques et très nourrissants. Elles poussent en quelques jours avec un peu d'eau, de la chaleur, de l'air et un soupçon d'attention.
Elles ne nécessitent ni terre, ni produit chimique et ne sont tributaires ni du temps qu'il fait, ni des saisons car elles se cultivent à l'intérieur, tout simplement chez soi.

Les graines germées sont un petit jardin dans un coin de la cuisine et reproduisent la magie de la nature dans un simple petit bocal. C'est charmant, ludique et enrichissant !

Source alimentaire remarquable, les graines germées sont des concentrés de nutriments et certaines sont même de très bon goût.
Elles sont très riches en acides aminés, sucres, acides gras, enzymes, vitamines, minéraux, oligo-éléments et fibres.
Elles contiennent également une multitude de substances biologiques actives comme des hormones et des substances phytosanitaires aux propriétés remarquables.

Les graines germées se mangent crues, mélangées dans les salades ou les crudités. Elles font d'excellents müeslis, elles accompagnent les mets cuits et peuvent s'apprêter de mille façons. Rien de plus vitalisant que les graines germées car elles sont consommées vivantes et non dénaturées, ni par la cuisson, ni par le raffinage.

Les graines germées c'est fraîchement bon et naturellement de notre temps. Nul besoin d'un retour à la nature ; c'est la nature qui s'en revient chez nous, dans un petit coin de la cuisine.

On ne saurait écrire un livre sur les graines germées sans rendre hommage à l'anthropologue et voyageur au très long cours, Edmond Bordeaux Szekely.
Faisant des recherches dans les archives du Vatican dans les années vingt, il tomba sur de vieux manuscrits rédigés et compilés par une communauté monastique qui vivait sur les rives de la mer Morte au temps du Christ : les Esséniens.
L'existence de cette communauté et le rôle majeur qu'elle semble avoir joué dans la naissance du christianisme fit l'effet d'une bombe. N'allait-on pas jusqu'à prétendre que c'est dans cette communauté que le Christ passa la plus grande partie de son enfance, jusque-là inconnue, et que son ministère fut largement inspiré des techniques de soins pratiqués par ces thérapeutes que furent les Esséniens[1] !

Vingt ans plus tard, en 1945, nouveau rebond dans cette affaire ! Un berger qui donnait pâture à ses moutons fit une découverte tout aussi sensationnelle. Il découvrit dans une grotte des jarres contenant de vieux parchemins datant de cette même période du christianisme naissant.
De ces parchemins fut rédigé un livre : *Les Manuscrits de la Mer Morte* qui apportèrent des éléments nouveaux sur le Christ et sur les Esséniens.
Une très importante littérature existe depuis sur le sujet, mais nous nous bornerons ici à ne reprendre que ce qui nous intéresse, à savoir : l'influence de l'alimentation sur la santé en général et le rôle des graines germées en particulier.
Revenons à Szekely et à ses manuscrits qui donnent des instructions précises sur la santé et la guérison par la pratique du jeûne et l'art de se nourrir avec des aliments vivants.

Quand vous mangez, consommez toutes choses
sous leur forme naturelle.
Ne cuisez pas, ne mélangez pas les aliments
et vous ne connaîtrez jamais la maladie.

E.B. Szekely/L'Évangile Essénien.

EXPÉRIENCES DE GUÉRISON [2]

Les Esséniens étaient une communauté religieuse, ils étaient appelés guérisseurs par leurs contemporains car ils obtenaient des guérisons remarquables en conseillant aux malades de consommer leurs aliments crus sans les mélanger entre eux, cueillis à l'instant dans le jardin potager, en parfait état de fraîcheur et de vitalité.

Pendant plusieurs décennies au Rancho la Puerta, en Californie du Sud, nous avons poursuivi des recherches avec des groupes expérimentaux et des groupes de contrôle et nous nous sommes aperçus qu'en dépit d'un apport alimentaire respectant les normes classiques (protide, glucide, lipide), nous ne parvenions pas à obtenir des résultats statistiquement satisfaisants.
Au fur et à mesure que se déroulait ce que nous avons appelé *la Grande Expérience*, nous avons non seulement constaté la guérison de maladies apparemment incurables mais également été témoins de la réapparition d'une résistance immunologique parfaite avec un régime très en dessous des normes officielles. À de multiples reprises, nous avons constaté qu'une petite quantité d'aliments de qualité assure une guérison rapide ; que 30 à 40 g de protéines provenant d'aliments non cuits et non manipulés sont plus efficaces que 60 à 80 g de protéines de moindre valeur...

Tout nous montrait que l'alimentation des Esséniens permet une extraordinaire économie dans notre biochimie, évitant les déchets inutiles et assurant une très grande efficacité nutritionnelle à partir de petites quantités d'aliments.
C'est par l'application de cette méthode très simple que nous avons pu établir avec plus de 123000 personnes une extraordinaire statistique de guérison...
Le potentiel créatif des aliments et leur faculté de régénération cellulaire devinrent de plus en plus évidents tout au long des expériences que nous poursuivîmes pendant plus d'un tiers de siècle, obtenant des résultats remarquables dans le traitement de plusieurs milliers de cas...

La classification des aliments, fondée sur leur teneur en protéines, hydrates de carbone, graisses et calories, peut être remplacée par une nouvelle classification établie d'après la capacité qu'a chaque aliment d'engendrer la vie. La classification biogénique souligne le principe fondamental de l'alimentation: les aliments doivent être vivants au moment où ils sont consommés.

NOUVELLE CLASSIFICATION

1. l'aliment biogénique: générateur de vie.
2. l'aliment bioactif: soutient, maintient la vie.
3. l'aliment biostatique: ralentit la vie.
4. l'aliment biocidique: détruit la vie.

Cette classification est plus scientifique et plus pratique que la classification qui ne prend en compte que l'aliment en lui-même, qui ne prend en considération que la composition chimique des aliments sans prêter attention à leur fonction vitale dans le corps.

LES ALIMENTS BIOGÉNIQUES (BASE QUALITATIVE)

Pour expliquer l'action mystérieuse de ces substances naturelles que les Esséniens appelaient aliments vivants, j'ai choisi le terme biogénique (qui signifie en grec, générateur de vie) pour les aliments tels que les graines, les noix et les légumes dont les capacités biochimiques sont exaltées par la germination : celle-ci engendre une nouvelle vie en mobilisant les forces de vie dormante, assurant ainsi une totale expression du potentiel vital de l'aliment.

Les jeunes pousses en phase de croissance rapide entrent également dans cette catégorie.

LES ALIMENTS BIOACTIFS (BASE QUANTITATIVE)

Pour définir la catégorie des aliments non conditionnés, constituée par les fruits et légumes frais, j'ai choisi le nom d'aliments bioactifs. Quoiqu'incapables de créer une vie nouvelle comme les graines germées, ces aliments peuvent néanmoins soutenir parfaitement les forces de vie qui existent déjà dans le corps humain.

Les aliments biogéniques et bioactifs peuvent synthétiser des composés biologiques qui remplissent des fonctions supérieures, telle la destruction des substances biostatiques et biocidiques provenant des micro-organismes pathogènes ainsi que des toxines produites par de mauvaises fonctions digestives. Ces aliments renforcent le transport sanguin et intracellulaire de l'oxygène, accroissent le métabolisme et la régénération cellulaire, stimulent la résistance biologique et favorisent les processus naturels d'autoguérison que Pline l'Ancien appelait : *vis medicatrix naturae* (puissance régénératrice de la nature).

Avec les aliments biogéniques et bioactifs, nous évitons :
- la destruction des enzymes.
- la détérioration qualitative des acides aminés et protéines alimentaires.
- les substances toxiques créées par la chaleur à partir des graisses.
- la destruction des vitamines par le conditionnement.
- l'adjonction de substances artificielles.
- la suppression de substances alimentaires naturelles.

Les aliments bioactifs sont les fruits et les légumes frais, naturels et non conditionnés ; ils soutiennent les forces de vie mais sont incapables de créer la vie.

LES AVANTAGES DES ALIMENTS BIOGÉNIQUES ET BIOACTIFS

- ils sont capables de synthèses moléculaires.
- ils augmentent la résistance biologique et l'auto-guérison.
- ils ne provoquent pas la leucocytose digestive, assurant une extraordinaire économie des métabolismes, car peu de déchets sont produits.
- ils assurent une assimilation progressive des sucres.
- ils régularisent le transit intestinal.
- la sensation de satiété est plus rapide.
- ils apportent des nutriments condensés de grande qualité.
- ils améliorent le transport de l'oxygène.
- ils stimulent le métabolisme et la régénération cellulaire.
- ils renforcent la résistance biologique et l'auto-guérison.

LES ALIMENTS BIOSTATIQUES

J'ai appelé aliments biostatiques les aliments qui ne sont plus frais ou qui ont été cuits.
Ces aliments ralentissent les processus vitaux et accélèrent le vieillissement de l'organisme.

LES ALIMENTS BIOCIDIQUES

Les aliments qui contiennent des substances nocives tels les agents chimiques, les aliments raffinés et conditionnés de mille façons, j'ai choisi le nom de biocidiques (détruisent la vie).
Depuis la seconde guerre mondiale, l'industrie alimentaire, abandonnant les critères de fraîcheur et de pureté s'est adonnée à une véritable inondation d'additifs des aliments: agents conservateurs, émulsifiants, humidifiants, agents séchants, pulvérisants, aromatisants, gaz, émollients, anti-oxydants, hydrogénants, désodorisants etc.
Ces produits chimiques perturbent l'équilibre biochimique naturel des aliments et par là, la santé des consommateurs.

L'ALIMENTATION IDÉALE

25 % d'aliments biogéniques: graines germées et aliments fermentés (légumes fermentés, fromages, végétaux).
50 % d'aliments bioactifs: végétaux frais.
25 % d'aliments biostatiques: aliments transformés, raffinés ou cuits.

1. De mémoire d'Essénien, l'autre visage de Jésus (tome I).
Chemins de ce Temps-là (tome II). A et D. Meurois-Givaudan.
2. Le texte jusqu'à la fin du chapitre est repris des livres de E.B. Szekely, notamment *Chimie de la jeunesse*. Éditions Ambre.
Tous les ouvrages de E.B. Szekely sont publiés par Ambre.

La matière prend bien peu de place comparée au vide qui l'entoure. L'univers est fait de vides sidéraux avec ça et là des grains de poussière que l'on appelle planètes, étoiles et soleils. L'infiniment petit est comme l'infiniment grand ; les milliards d'atomes qui composent notre monde matériel sont comme des systèmes solaires miniaturisés.
Ils sont faits d'un noyau chargé d'électricité positive autour duquel gravitent sur différentes orbites des électrons chargés négativement. Là aussi le vide règne en maître. Si on compressait notre planète pour enlever tout le vide qui la compose, elle serait réduite à la dimension d'une tête d'épingle !
Pourtant, ce vide n'est pas si vide que ça car il est rempli de champs électriques entre les noyaux et les électrons à faire pâlir toutes les centrales électriques du monde entier. Ces charges électriques sont le ciment qui tiennent ensemble tous les édifices de matières, animés et inanimés.

LA VITALITÉ DES ALIMENTS

La fonction de la nutrition est de fournir à l'organisme de l'électricité sous forme de molécules ionisées chargées d'un potentiel électrique. C'est ce qu'en dit le professeur Jacques Loeb (1859-1924) père de la physiologie moderne.

En matière d'alimentation, la qualité prime sur la quantité. S'alimenter, c'est refaire le plein d'énergie électrique, c'est refaire le plein de glucose vitalisé dans les fruits, les graines germées, les légumes frais et les noix. Ces aliments vitalisés devraient représenter 70 à 80 % de la ration alimentaire.
L'entretien du corps par l'apport des protéines n'est de loin pas aussi conséquent ; il ne devrait représenter que 5 à 10 %, au grand maximum, de la ration alimentaire.

Dès que les aliments sont raffinés, congelés ou cuits, ils perdent une grande partie de leur vitalité; l'intensité vibratoire s'est considérablement réduite, voire éteinte.
Les transformations subies par ces aliments ont modifié les arrangements moléculaires, donc les charges électriques, au sein des molécules. Ces aliments sont morts et dévitalisés. Ils sont de mauvais pourvoyeurs d'énergie car la tension électrique qui maintient tout l'édifice moléculaire est à plat, comme dans une pile déchargée!

LES ALIMENTS MALTRAITÉS

La cuisson est le pire traitement que l'on puisse faire subir aux aliments car elle provoque d'importantes modifications de la structure moléculaire et de ses propriétés. Elle génère aussi des molécules nouvelles et dangereuses: les molécules de Maillard [1].
La cuisson modifie la tension de surface, le degré de dispersion, la pression osmotique, le degré de dilution, les états colloïdaux des molécules, la capacité d'absorption de l'eau, la viscosité et le potentiel électrique [2].
Tous ces termes savants empruntés à la chimie organique ne sont qu'un aperçu des dommages subis par la cuisson.
Ces aliments n'ont plus les mêmes propriétés biochimiques du temps de leur première fraîcheur! Ils sont dévitalisés et, pour ne rien arranger, ils apportent des molécules nouvelles qui, progressivement et imperceptiblement, polluent tout l'organisme.
Parmi les 700 000 espèces animales qui vivent sur terre, l'homme est le seul à raffiner et à cuire ses aliments. Il est aussi le seul à subir un déferlement de maladies les plus diverses, des plus anodines aux plus mortelles! Cherchez l'erreur…

désactivation des enzymes.

Les enzymes jouent un rôle irremplaçable dans l'aliment vivant; ils sont avec les vitamines et les minéraux, des catalyseurs, des allumeurs des réactions biochimiques au sein des cellules vivantes.
Chauffés à plus de 50 °C, tous les enzymes sont détruits. Ils ont perdu leur charge électrique et n'ont plus la capacité d'allumer les catabolismes digestifs. Seuls les aliments crus contiennent les enzymes ainsi que les cofacteurs, vitamines et minéraux, requis pour le démembrement moléculaire lors de la digestion. L'aliment cru apporte non seulement des substances nutritives mais aussi des aides enzymatiques pour faciliter leur digestion.
Pour combler le déficit enzymatique des aliments cuits, le corps suractive ses glandes productrices d'enzymes. Il n'est pas rare de constater le triplement du volume du pancréas, la principale glande à enzymes!

POLYMÉRISATION DES AMIDONS

Les graines cuites ne germent plus; l'embryon est *cuit* et ses réserves nutritives sont détruites.
L'amidon est un sucre très complexe, composé de longues chaînes de molécules de glucose. S'il est vrai que la cuisson désolidarise en partie les maillons de ces chaînes pour en libérer les dextrines, elle les rassemble aussi en une masse compacte et gluante difficilement accessible aux sucs digestifs. Cette masse gélatineuse épaissit le sang et se dépose sur les tissus, comme une chemise amidonnée!
Cette colle colmate les intestins et entrave l'assimilation. Le sang, surchargé de substances colloïdes perd de sa fluidité et n'arrive plus à effectuer correctement la nutrition des cellules et l'élimination des déchets.

COAGULATION DES PROTÉINES

Dès 60°C, les protéines coagulent et une importante partie des acides aminés deviennent inassimilables. Ils engendrent des putréfactions intestinales et produisent des poisons très toxiques, tels le phénol et le scatol.
La toxicité des protéines cuites a été démontrée par le Dr. F. Pottenger et les conclusions de ses travaux devraient nous mettre en garde contre l'abus des protéines dénaturées par la cuisson[3].

CARBONISATION DES LIPIDES

Dès 200°C les matières grasses se décomposent et craquent; elles produisent des dérivés goudronneux cancérigènes: des acroléines (substances aromatiques âcres qui proviennent de la carbonisation des savons). Ces acroléines intoxiquent le sang et les cellules hépatiques.
Les vitamines liposolubles A, C, E, les trois principaux anti-oxydants, sont détruits et produisent des radicaux libres, les précurseurs du vieillissement et des maladies cardio-vasculaires.

PRÉCIPITATION DES MINÉRAUX

L'ébullition provoque une précipitation des minéraux qui se séparent des structures organiques auxquels ils étaient fixés. Ces minéraux redeviennent libres, inorganiques, involués et en grande partie inassimilables.
Le calcium contenu dans le sol sous forme de carbonate, de sulfate ou de nitrate de calcium est un minéral inorganique et involué. En passant par la plante, il s'intègre à un édifice moléculaire plus complexe et surtout organisé. Il *évolue* car il participe à une matière organique vivante et c'est uniquement sous cette forme qu'il peut être assimilé correctement.

L'eau de cuisson des légumes est saturée de ces minéraux inorganiques. Ces minéraux bouchent nos artères (oxyde de calcium) comme le tartre (carbonate de calcium, calcaire) bouche les canalisations. Ces minéraux se fixent mal sur les tissus vivants et les reins les rejettent difficilement; ils se déposent sur les artères qu'ils sclérosent. Ils durcissent les tissus et provoquent l'artérosclérose et la sclérose en plaques.

DESTRUCTION DES VITAMINES ET DES ARÔMES

La cuisson détruit toutes les vitamines. Les vitamines dites hydrosolubles (C, B et PP) se volatilisent dès les premières vapeurs d'eau, à 60°C.
Dès 90°C, les arômes (hormones végétales) qui facilitent la digestion et stabilisent la flore intestinale se distillent et s'évaporent. Ces précieux agents de santé ne sont plus là pour soutenir les métabolismes cellulaires.
Dès l'ébullition, à 100°C, les vitamines liposolubles (A, D, E, K) disparaissent à leur tour.
Pour combler le déficit en vitamines des aliments cuits, le corps puise dans ses propres tissus les vitamines nécessaires à l'élaboration des enzymes digestifs, et laisse sur le carreau des organismes dévitalisés !

LA LEUCOCYTOSE DIGESTIVE

Après tous les dégâts occasionnés par la cuisson, il serait très surprenant que le corps accepte ces aliments sans broncher ! Mais ce n'est pas le cas ! Face à l'assaut de tant de molécules dénaturées, il se protège en augmentant les effectifs de sa police organique, ses globules blancs, appelés leucocytes. La leucocytose digestive est le terme employé pour rendre compte d'une élévation momentanée des globules blancs du sang.

Ce phénomène connu depuis très longtemps était considéré comme normal lors des maladies et après les repas (cuits). La quantité de leucocytes est de 6000 unités par millimètre cube de sang chez une personne en bonne santé, mais cette quantité triple après l'ingestion d'aliments cuits.
C'est le Dr. Koutchnakoff qui démontra le caractère pathologique de la leucocytose digestive et que les aliments cuits en étaient la cause, car les aliments crus n'induisaient aucune réaction leucocytaire. Il compara ce phénomène à une mini leucémie dont les effets à long terme conduisent à la diminution de l'immunité… et donc à la maladie [4] !
Si les conclusions de Dr. Kouchakoff nous mettent en garde contre la toxicité des aliments cuits, il nous donne aussi les moyens d'y remédier. Il a constaté que si des aliments crus étaient consommés avant ou avec les aliments cuits, cette leucémie digestive n'apparaissait pas (exception faite des aliments cuits sous pression et des conserves).
Voilà de quoi nous rassurer avec un compromis simple à pratiquer !

1. La réaction de Maillard. Cahiers de nutrition et de diététique, vol 2, fascicule 4. 1967. L. Petit, J. Adrian.
2. Principes généraux d'alimentation. Bircher Benner.
3. Heat labil factors necessary for proper growth and development of cats. Journal of laboratory and clinical medecine, vol 25, p 6. 1939. F. M. Pottenger, D. G. Simonsen.
4. Nouvelles lois de l'alimentation humaine basée sur la leucocytose digestive. Mémoires de la Société Vaudoise des Sciences Naturelles 1937. P. Kouchakoff.

L'ÉCOLOGIE COMMENCE DANS NOTRE ASSIETTE

Nul ne saurait mettre en doute la pollution généralisée de la planète et les mouvements écologistes sont là pour nous le rappeler ! Il y a pourtant un sujet dont on parle peu, celui de notre propre pollution corporelle. Car il en va de l'écologie organique comme de l'écologie environnementale.

Si l'usage intensif des engrais chimiques pollue la planète, l'usage intensif d'aliments antispécifiques à notre physiologie digestive (viandes, céréales) et dénaturés (transformés), pollue l'organisme. Cette pollution est la cause principale des maladies.

Si *ce qui est en haut est comme ce qui est en bas*, pour citer Hermès Trismégiste qui indiquait par là que l'infiniment grand est comme l'infiniment petit, on pourrait ajouter que *ce qui est à l'extérieur est comme ce qui est à l'intérieur* ; la planète polluée n'est que le reflet fidèle de notre pollution organique.

LA POLLUTION ORGANIQUE

Tous les êtres vivants se nourrissent d'aliments, les dégradent (par hydrolyses successives) pour les assimiler et rejettent les déchets issus des transformations ; c'est la nutrition. Si les aliments sont spécifiques au système digestif qui les reçoit, les déchets issus de la digestion sont très facilement éliminés. Dans le cas contraire, les déchets stagnent dans les liquides organiques en attendant d'être rejetés et créent, alors, des surcharges appelées toxines.

Tout est une question de mesure. Si le corps peut gérer une certaine quantité de toxines, il arrive un moment où il est débordé et prend des mesures radicales pour éliminer ces substances toxiques excédentaires.

La fièvre est un remarquable exemple de ce processus de désintoxication: le corps élève sa température afin d'activer les éliminations par la transpiration, les sueurs, etc.

IL Y A SUCRE... ET SUCRES

Le glucose est l'aliment énergétique de toutes nos cellules. On le trouve principalement dans tous les végétaux (fruits, légumes et graines germées). Ce sucre simple nous offre un carburant idéal pour alimenter notre moteur organique.
Au contact de l'oxygène dans nos cellules musculaires, le glucose s'oxyde et libère l'énergie; le muscle est un moteur à explosion froide qui tourne au glucose (C6 H12 O6).
Le glucose est un sucre très adapté à notre physiologie car les déchets issus de sa combustion sont facilement éliminés. Après oxydation, il reste de l'eau, H2O (rejeté par les reins) et du gaz carbonique CO2 (rejeté par les poumons).
Les autres sucres plus complexes sont issus de l'amidon des céréales et légumineuses. Seules la cuisson et la germination permettent de les consommer.
La cuisson n'est pas sans inconvénient: elle rend l'amidon si gluant et si compact que les sucs digestifs ont de la peine à pénétrer. La digestion reste incomplète, les sucres brûlent mal et les déchets, de nature colloïdale (grec. *kolla*, colle) stagnent dans les humeurs (principalement dans la lymphe) et ralentissent tous les métabolismes.
Ces déchets colloïdaux sont normalement éliminés par les quatre émonctoires (organes d'élimination) spécialisés que sont: le foie, la vésicule biliaire, les intestins et les glandes sébacées de la peau. Il arrive pourtant que ces émonctoires soient saturés et que l'organisme utilise d'autres sorties, telles les muqueuses du nez (rhume); poumons (bronchite) et organes génitaux chez les femmes (pertes blanches).

Les maladies catarrhales (grec. *katarrhos*, qui coule) et qui ne provoquent pas de douleur indiquent toujours un abus de ces aliments à base d'amidon (pâtes, pain, biscuits, céréales cuites).

IL Y A PROTÉINE... ET PROTÉINES

Les meilleures protéines proviennent des graines germées, des fruits oléagineux, des noix, des feuilles vertes (protéines foliaires), des produits laitiers fermentés, de la levure de bière, des champignons et algues. Ces protéines nous fournissent des acides aminés on ne peut plus spécifiques à notre constitution de frugivore et, surtout, peuvent être mangés crues !
Une protéine dénaturée par la cuisson est inutilisable pour la construction cellulaire qui ne peut se contenter de briques déformées ! Dans le monde des protéines, il y a beaucoup d'appelés mais peu d'élus !
Les protéines doivent satisfaire à des conditions si strictes (biodisponibilité) pour être assimilées que beaucoup sont impropres à la construction cellulaire. Contrairement aux sucres, les protéines ne peuvent pas être stockées ; le corps utilise juste ce dont il a besoin et le reste est utilisé comme carburant ou éliminé.
Cette biodisponibilité des protéines ainsi que leur gestion à *flux tendu* (pas de stock) génèrent beaucoup de déchets qui acidifient le sang et polluent l'organisme d'une importante quantité de résidus toxiques : urée et acide urique notamment.
Tant que ces résidus restent dans des limites raisonnables, le corps les neutralise par une sécrétion alcaline des reins puis les élimine par l'urine et la transpiration (les glandes sudoripares sont des petits reins appelés néphrons) : les deux voies *d'échappements* (d'élimination) des déchets azotés.

L'abus des protéines dénaturées engendre l'acidification du sang. Pour neutraliser cette acidité et maintenir l'équilibre acido-basique du sang à son pH de 7.35, les reins prélèvent dans les os les minéraux (calcium, magnésium, potassium) nécessaires à cette neutralisation. Ces sels vont se combiner aux acides, les neutraliser et les transformer en substances cristalloïdes (cristal: minéral). Ces substances cristalloïdes sont des composés d'acides et de sels involués; les déchets cristalloïdaux dont parle la naturopathie [1].

Si l'acidification du sang par ce processus tampon a pu être évitée, on ne doit pas oublier qu'une forte concentration de calcium dans l'urine provoque les calculs rénaux ! C'est un moindre mal en attendant l'ostéoporose (décalcification des os) qui ne manquera pas de se manifester plus tard si rien n'est entrepris pour limiter l'acidose.

L'excès de protéines, plus particulièrement celles d'origine animale provoque les maladies cristalloïdales. Ces maladies sont toujours douloureuses, comme dans les rhumatismes (précipitation des sels d'urate dans les articulations) et dans l'eczéma (inflammation des glandes sudoripares).

UN NON SENS ÉCOLOGIQUE

La consommation des protéines animales est un gaspillage des ressources alimentaires mondiales… et ménagères ! Pour produire un kilo de protéines de bœuf il faut dix-sept kilos de protéines végétales ! Il serait tellement plus simple, plus sain et bien plus économique de consommer directement les protéines végétales [2].

L'élevage des bœufs, cochons et autres poulets pollue notre environnement: soixante millions de tonnes de méthane sont libérés chaque année dans l'atmosphère suite aux déjections bovines, contribuant ainsi à l'effet de serre [3] !

Ces déjections, chargées de pesticides, d'antibiotiques et de colorants, provoquent aussi la pollution des sols.

ET NOTRE FLORE... ALORS !

Notre colon (du lat. *colonus*, colonie et *colere*, cultiver) est peuplé de cent mille milliards de bactéries, la concentration la plus forte jusque-là recensée ! Ces bactéries terminent le travail digestif ; elles synthétisent de nouvelles substances, comme des protéines, des vitamines K et B12 et détruisent les déchets, tel l'urée. Le genre de bactéries qui colonisent l'intestin dépend du régime alimentaire.

Chez les carnivores comme le chien, la flore bactérienne est principalement de nature putréfactive ; soit la décomposition des protéines (85 % colibacillus et 15 % lactobacillus bibidus). Ces colibacilles se nourrissent des acides aminés issus de la dégradation des protéines des viandes.

Chez les frugivores comme l'homme, la flore bactérienne est principalement de nature fermentative : soit la décomposition des sucres (85 % lactobacillus bifidus et 15 % colibacillus). Ces lactobacilles se nourrissent de cellulose, le sucre issu des fibres végétales.

Chez l'homme, une alimentation par trop carnée provoque l'apparition d'une flore putréfactive. Les bactéries, à défaut de cellulose, se nourrissent des acides aminés de la viande et libèrent d'importantes quantités de substances toxiques : scatol (dérivé de l'acide aminé tryptophane), phénol (dérivé de la tyrosine), sulfide d'hydrogène et méthane (deux gaz qui provoquent l'inflammation de l'intestin et favorisent le passage dans le sang de substances non désirées) [4].

L'ÉCOLOGIE SOCIALE

Pour faire face à la situation maladive de la société pour cause de mauvaise nutrition, on produit des médicaments et on les prescrit sans retenue. Louables intentions mais les remèdes peuvent être pires que le mal ! Actuellement, 30 % des maladies sont de nature iatrogènes (d'origine médicamenteuse)... il y a de quoi rester songeur !

Le traitement des maladies par des médicaments n'est utile qu'en cas d'urgence et la médecine allopathique fait merveille dans ce genre de situation ou il faut réprimer toute tentative de débordements microbiens. Mais répression des maladies n'est pas restauration de la santé, loin de là ! Si elle n'est pas accompagnée de mesures d'éducation à la santé, la répression reste une démarche dangereuse, coûteuse et vouée à l'échec.

L'éducation à la santé c'est avant tout se conformer aux lois biologiques qui régissent la nutrition des espèces. Donner à manger des farines animales à des herbivores engendre des vaches folles ! Qu'en est-il pour nous, frugivores, qui nous gavons de viande... serions-nous devenus fous ?

1. P.V. Marchesseau. Les aliments biologiques humains.

2. C.T. Schaller. Viande et lait. Éditions Vivez Soleil.

3. Beyond beef. Greenhouse Crisis Foundation. 1130 17th. street. NW 630 Washington DC. USA.

4. R. Ducluzeau. Régime alimentaire et flore microbienne du tube digestif. Tempo médical N° 266. Mai 1987.

Notre système digestif est-il adapté à une alimentation granivore ? Cette question peut sembler bien triviale quand on sait que les céréales et les légumineuses fournissent 60 % de la ration alimentaire mondiale. Riz et soja en Asie, sarrasin et orge dans les pays de l'Est, millet en Afrique, maïs en Amérique du sud et blé en Occident.
Penser que notre système digestif est inadapté à l'alimentation granivore semble être une hérésie au vu de ce qui se pratique dans le monde entier… et pourtant !

LES GRAINES AUX OISEAUX

Si le pigeon, qui appartient à la famille des granivores, peut manger des graines crues, c'est que son système digestif le permet.
Avec son bec il les picore et les avale tout rond, car il n'a pas de dents !
Les graines tombent dans un premier estomac, appelé jabot germoir, une poche chaude et humide propice à la germination ! Dans le jabot les graines germent (dextrination à basse température) puis sont dirigées vers le deuxième estomac, l'estomac chimique, dans lequel elles sont mélangées aux sucs digestifs.
De l'estomac chimique, elles passent dans le troisième estomac, l'estomac mécanique, appelé gésier broyeur. Dans le gésier les graines sont broyées puis passent ensuite dans l'intestin, très court, pour éviter la fermentation des sucres en alcool… ce qui pourrait nuire à la santé de ces volatiles et à leurs plans de vol !
Si les pigeons se nourrissent principalement de graines, soit 80 % de leur ration alimentaire, ils ne dédaignent cependant pas les plats d'accompagnement composés de vers, larves, chenilles et autres insectes.

On retrouve partout dans la nature cet univorisme (*uni*, un) mitigé, qui consiste à se nourrir d'un aliment principal, soit végétal ou animal, accompagné d'un complément prélevé dans l'autre source alimentaire.
Cet univorisme mitigé a légitimé la consommation abusive des viandes et, par extension, à nous classer dans la famille des omnivores : des mangeurs de tout !
L'homme est un frugivore mitigé, ce qui n'en fait pas pour autant un omnivore, comme l'ours, et encore moins un carnivore comme le chat ! [1]
Les vaches, herbivores, mangent principalement de l'herbe (90 % de leur ration alimentaire), mais aussi de la viande... par les insectes qui colonisent l'herbe.
Les lions, carnivores, mangent de la viande et des os (90 % de leur ration) mais leur morceau préféré est la panse de leur proie, gorgée de végétaux !
L'homme, comme les grands singes anthropoïdes (orang-outang et gorille) est un frugivore. Sa nourriture devrait être principalement végétale : fruits, légumes et pousses tendres (90 % de la ration) accompagnée d'un peu de viande, de poisson et de sous-produits animaux, laitages et œufs.

LES GRAINES AUX HOMMES ?

Au contraire des oiseaux, notre système digestif n'est pas formaté pour manger et assimiler des graines crues. Elles sont trop dures pour nos dents et certaines contiennent :

- de l'acide phytique (provoquant la déminéralisation), dans les céréales principalement.
- des inhibiteurs de protéases (enzymes chargés de la dégradation des protéines), dans les légumineuses.
- des oligosaccharides (sucres indigestes qui engendrent des fermentations intestinales), dans les haricots.

Même trempées dans de l'eau, les graines contiennent une telle quantité d'amidon que le système digestif en serait très vite congestionné, sans parler d'inappétence après les premières bouchées et la lassitude masticative !
La cuisson permet de contourner tous ces inconvénients : les graines se ramollissent, l'amidon se dégrade partiellement en sucres moins complexes (disaccharide) et les substances antinutritionnelles sont détruites.
Ces avantages, bien réels, ne compensent pas les multiples méfaits de la cuisson qui transforme ou détruit tout sur son passage : l'utile comme l'inutile !
Les graines et ses dérivés (pain, pâtes) ne peuvent servir de base alimentaire. Ce sont des aliments de compromis et en tant que tels, soumis à une restriction quantitative pour ne pas nuire à la santé. [2]
Chez les Hindous, grands consommateurs de céréales et de légumineuses, la tuberculose est la première cause de mortalité. La consommation excessive d'amidon surcharge les poumons et ce stress pulmonaire continu et répété pendant des années conduit aux pathologies du système respiratoire, dont la tuberculose et l'asthme notamment.
À noter que l'amidon cuit n'est pas aussi néfaste que la viande car les sucres issus de la digestion peuvent être brûlés par l'exercice physique… mais encore faut-il le faire !

L'AMIDON… UN SUCRE COMPLEXE

Les céréales contiennent une importante quantité d'amidon. La digestion casse ces grosses molécules d'amidon pour en extraire le glucose. Cette dislocation moléculaire se fait par hydrolyses successives (*hydro*, eau et *lyse*, scinder) et elle commence dans la bouche avec la ptyaline (grec. *ptyalon*, salive), l'enzyme qui agit sur l'amidon.

Le problème lié à la consommation du pain et des pâtes : ces aliments sont insuffisamment mastiqués. La ptyaline a trop peu de temps pour agir efficacement avant que ces aliments ne soient avalés et qu'ils ne passent dans l'estomac. À relever aussi que la polymérisation de l'amidon opérée par la cuisson ne va pas non plus faciliter la tâche des sucs digestifs ! Difficile pour eux de pénétrer profondément et d'agir dans cette masse collante et compacte.

Comparée aux céréales, la digestion des légumineuses est plus compliquée car en plus de l'amidon, elles contiennent une bonne quantité de protéines (20 %). Les sucs gastriques chargés de digérer ces protéines vont littéralement inactiver la ptyaline.

L'incompatibilité amidon/protéine provoque non seulement la fermentation de l'amidon mal digéré mais également des putréfactions intestinales dues aux protéines. La digestion des légumineuses est lourde et laborieuse ; Hippocrate et les hygiénistes de l'île de Cos (Grèce Antique) les rejetaient par mesure d'hygiène !

Avec de l'amidon comme source d'énergie (carburant), le moteur organique tourne mais carbure mal ; les sucres mal brûlés encrassent la mécanique et surchargent :

- le foie, qui stocke l'excédent de sucre en glycogène pour le restituer en glucose en fonction des besoins organiques.
- le pancréas, qui maintient le taux de sucre constant dans le sang (glycémie).
- les poumons, qui absorbent l'oxygène pour l'oxydation des sucres et rejettent le dioxyde de carbone (les résidus issus des oxydations cellulaires).
- le système circulatoire, chargé du transport de l'oxygène vers les cellules et du dioxyde de carbone vers les poumons.

Seuls les oiseaux peuvent extraire sans difficulté le glucose de l'amidon des graines. Ils sont pour cela dotés d'un système digestif adapté à cette tâche.
L'oiseau vole avec tellement d'aisance qu'il nous fait rêver. Pourtant, voler n'est pas une mince affaire, cela demande beaucoup d'énergie (l'amidon est un sucre concentré) ; de l'oxygène pour oxyder les sucres et une grosse pompe, le cœur, pour faire circuler le sang chargé de glucose et pour évacuer le dioxyde de carbone, le gaz d'échappement.
Proportionnellement à son poids, l'oiseau a un cœur quinze fois plus gros que le nôtre car il faut du débit pour assurer la demande importante en carburant. Difficile d'imaginer un homme avec un cœur pesant neuf kilos ! [3]
L'homme n'étant pas soumis à de pareils efforts de vol, une alimentation principalement céréalière ne se justifie pas.

LES GRAINES GERMÉES... C'EST MIEUX

La meilleure façon de manger des graines c'est de les faire germer car la germination transforme l'amidon en sucres simples, fructose et glucose ; les protéines en acides aminés et les matières grasses en acides gras et en sucres. Fructose, glucose, acides aminés et acides gras sont des nutriments directement assimilables par notre organisme, mettant ainsi au repos le foie et le pancréas, les principales glandes qui sécrètent les sucs digestifs... une cure de jouvence pour ces organes !

1. La nutrition hygiéniste. Albert Mosséri. Éditions Aquarius.
2. Dr. Henry G. Beiler. Les aliments sont vos meilleurs remèdes. Éditions S.I.P. Monte-Carlo.
3. Désiré Mérien. Les sources de l'alimentation humaine. Éditions Nature et vie.

Quelle place peuvent avoir les graines germées dans notre alimentation journalière ? Peut-on tout en gardant nos sacro-saintes habitudes alimentaires, ajouter un peu de fraîcheur dans nos assiettes ? Il faut bien reconnaître que les aliments que nous consommons tous les jours sont loin de satisfaire aux besoins physiologiques de notre organisme.

S'ils peuvent satisfaire aux normes simplistes du calorisme, cette approche quantitative et surannée de l'alimentation, ils sont d'une pauvreté affligeante, qualitativement parlant.

L'habitude du tout raffiné, dont on a enlevé les fibres et les germes pour augmenter la durée de conservation, ainsi que l'habitude du tout cuit sont les premiers responsables de cette déperdition d'éléments vitaux.

La cuisson non seulement détruit ces substances vitales que sont les vitamines, les minéraux, les enzymes et les hormones, mais elle dénature aussi les protéines, les glucides et les lipides… sans parler des molécules de Maillard, créées par la cuisson ! [1]

Si les médecins s'accordent sur l'importance de manger des crudités, tous ne sont pas cuisiniers pour nous appâter avec des végétaux.

Manger cru, pensez donc ; je digère mal les crudités et ça me donne des colites. De plus il faut mâcher et remâcher ; nous ne sommes pas des ruminants et, pour cela, il faudrait avoir des dents en bon état ! Un peu de cru, d'accord ; une salade verte devrait faire l'affaire !

Malheureusement on est loin du compte, même si quelques fruits viennent agrémenter le quotidien.

Nous sommes confrontés à un vrai dilemme ; manger cru est incontestablement plus sain mais demande plus de mastications ! Le cuit est nettement plus commode mais il est loin d'apporter tout ce dont l'organisme a besoin.

CARNIVORISME ET GRANIVORISME

Dans les pays industrialisés, la viande occupe la place centrale dans l'assiette et un repas ne peut se concevoir sans elle. Malheureusement, cette surconsommation de viande avec ses graisses saturées fait le lit des maladies.
Le système digestif de l'homme n'est pas adapté à une alimentation carnée; son anatomie digestive le classe dans la famille des frugivores [2].
La viande ne devrait pas occuper la place centrale dans nos menus au risque de voir apparaître tous les troubles liés au métabolisme des protéines mal dégradées et à ses résidus acides (urée et acide urique) notamment.
Il ne faut pas croire pour autant que les pays du tiers-monde sont mieux lotis. Si chez eux ce sont les céréales et les légumineuses qui occupent la place centrale des repas, le système digestif n'est pas mieux adapté aux graines cuites qu'il ne l'est à la viande.
Dans ces pays, la surconsommation des graines entraîne des troubles liés aux métabolismes des amidons mal dégradés (substances colloïdes qui épaississent le sang et amidonnent les tissus).
Alimentation carnée ou granivore, dans les deux cas la part du cru reste négligée. Avec de pareils aliments inadaptés à notre système digestif (antispécifique) et dénaturés (raffinés et cuits), il n'est pas étonnant de voir se multiplier maladies, médecins, médicaments et hôpitaux!

Malgré ses multiples inconvénients, la cuisson offre aussi quelques avantages: elle permet de manger de la viande et des céréales et ramollit les fibres dures de certains végétaux qui, chez les personnes aux intestins fragiles, pourraient provoquer des troubles intestinaux (gaz, ballonnements).

UN COMPROMIS AVANTAGEUX

L'idéal en matière d'alimentation serait de pouvoir profiter des avantages des deux méthodes, à savoir la possibilité de manger une grande variété de produits cuits tout en maintenant un minimum vital apporté par des aliments frais et crus.
Joindre l'utile à l'agréable, c'est ce que nous proposent les graines germées. Leur consommation journalière est facilement réalisable mais aussi recommandée pour revitaliser et reminéraliser des plats qui, malgré leur incontestable saveur n'en demeurent pas moins toxiques ! [3]
Toxiques ? Le terme peut paraître un peu exagéré et pourtant le corps n'en pense pas moins lui qui multiplie ses globules blancs, les leucocytes (riches en enzymes) pour neutraliser les effets pervers des aliments cuits et fournir les enzymes nécessaires à leur digestion.

Adjoindre du cru au cuit est un moyen efficace pour éviter la leucocytose digestive et la perte répétée des forces vitales qui épuise sournoisement et imperceptiblement l'immunité. Car ces mini-leucémies n'apparaissent pas dès que du cru est mangé avant ou avec du cuit… un compromis facile à pratiquer et peu contraignant !

GRAINES GERMÉES… À MULTIPLES USAGES

On peut manger des graines germées simplement pour compléter la ration alimentaire en vitamines, minéraux et enzymes. À ce titre, elles font merveille par leur richesse en éléments vitaux pour la santé.
On peut aussi les utiliser et les apprécier pour leurs qualités organoleptiques : aspect, saveur et consistance, pour décorer les plats et enchanter le palais.

Les graines germées compléments alimentaires et décoratifs des plats ? Oui, mais pas seulement. Elles apportent aussi les deux substances alimentaires de base : les sucres (issus de l'amidon) et les acides aminés (issus des protéines) intacts, non dénaturés, facilement assimilables et utilisables.

ALORS... À TABLE

On pourra utiliser les graines oléagineuses (amandes, noix) pour faire des laits végétaux, nature ou fruité.
Pour un petit déjeuner plus consistant, un müesli au sarrasin germé mélangé à des fruits frais fera l'affaire.
Pour les repas du midi et du soir, quel que soit le menu, on trouvera toujours la possibilité d'ajouter quelques germes de graines ou des graines germées.
On pourra parsemer les potages de quelques germes de pois chiche, lentille, sarrasin, soja ou tournesol et les omelettes pourront être enrichies avec du sarrasin ou du quinoa.
Les salades seront mélangées avec des graines germées d'alfalfa, cresson, fenouil, fenugrec, radis, moutarde, oignon ou roquette.
Sans oublier les taboulés à base de germes de sarrasin, de blé, de lentille, de quinoa ou de pois chiche.
Le but n'est pas de manger tout cru et tout germé, mais de rajouter un peu de vie et de consistance chaque fois que l'occasion se présente.

1. La réaction de Maillard. L. Petit, J. Adrian. Cahiers de nutrition et de diététique ; Vol 2, fascicule 4. 1967.
2. Les sources de l'alimentation humaine. Désiré Mérien. Éditions Nature et vie.
3. Nouvelles lois de l'alimentation humaine basée sur la leucocytose digestive. Kouchakoff P. Mémoires de la Société Vaudoise des Sciences Naturelles. 1937.

Que l'aliment soit ton médicament.
Que ton médicament soit ton aliment.

Hippocrate (400 av. J-.C.)

Pour une assurance santé de bon goût... *un coup de pousses* aromatiques dans nos assiettes !
Plus d'oignons à couper, la saison des radis est éternelle et bonjour les mets plus parfumés car avec les graines aromatiques, nous entrons dans un monde gustatif plus varié et plus attrayant.

UN PEU D'HISTOIRE

La recherche des saveurs est vieille comme le monde. Les grandes routes des civilisations sont parfumées d'épices, comme nos jardins familiaux le sont d'herbes aromatiques. Plaisirs de bouche, bien sûr, mais aussi aisance digestive et surtout salubrité publique !
À titre préventif pour éviter les épidémies, les constructeurs des pyramides d'Egypte mangeaient tous les jours de l'ail et de l'oignon. Ils connaissaient les propriétés antiseptiques de ces deux légumes qui détruisent les microbes aussi bien que les antibiotiques, plus lentement, mais sans dommages collatéraux !
Le cresson, fenouil, fenugrec, moutarde, oignon, roquette et radis contiennent des huiles essentielles très volatiles. Ces huiles aromatiques sont les hormones des plantes, appelées auxines (grec. *auxein*, accroître) et proviennent d'une cinquantaine de composés aromatiques différents.
Les auxines agissent comme les hormones ; elles sont des messagers chimiques qui régissent la pousse, protègent les tissus et normalisent toutes les fonctions métaboliques.

Hormones de croissance et hormones de régulation, cycle hormonal, contraceptifs, les hormones président à toutes nos fonctions physiologiques comme à toutes nos humeurs.

POUR LA SANTÉ

Les essences aromatiques ont été l'objet de très nombreuses études et applications ; dans la cosmétique, soins de beauté ; dans l'alimentation, soins du goût et dans la médication, soins du corps.
Toutes ces recherches ont permis l'aromathérapie, thérapie par les huiles essentielles distillées des plantes.
On avale quelques gouttes ou on se frictionne ; les essences pénètrent par la bouche mais aussi par les pores de la peau !
Mais à la place des gouttes, on peut en manger les feuilles (coriandre, basilic) ou les graines germées (radis, cresson).

Les essences sont antiseptiques ; elles lysent (dégradent) les microbes, les virus, les bactéries, les champignons et toute cette multitude d'agents infectieux… qu'ils proviennent de notre environnement ou de nos entrailles !
Elles lysent aussi les corps durs (cristaux, pierres, kystes) issus de la neutralisation de l'urée par les bases minérales du corps.
Les essences limitent les fermentations et les putréfactions dans les intestins et maintiennent la salubrité de la flore intestinale.
Les ferments alcooliques liquéfient le mucus (substances colloïdales issues de la mauvaise dégradation des amidons) qui tapisse les muqueuses des sinus et des bronches.
Leurs propriétés analgésiques (antidouleur) et antiseptiques (antibactéries) par leur richesse en terpènes, phénols, alcools et aldéhydes, ont été clairement démontrées.

Qui n'a pas salivé devant un plat qui sent bon ? Cette odeur provient des molécules volatiles qui excitent les nerfs olfactifs de l'odorat et les papilles gustatives et provoquent une augmentation des sécrétions salivaires et gastriques.
Les effluves odorantes sont si fines et si volatiles qu'elles pénètrent profondément et protègent tous les tissus. Elles purifient et revitalisent le terrain humoral (sang, lymphe, sérums intra et extra cellulaire) et maintiennent le pH à sa valeur normale de 7,3 (équilibre acido/basique).
Les arômes détoxiquent l'organisme en ouvrant les quatre émonctoires (organes d'élimination) que sont les reins, les poumons, les intestins et le foie (par la bile qu'il sécrète et qui est évacuée par les intestins). Leur action diurétique, expectorante, laxative et décongestive n'est plus à prouver ; la phytothérapie en a fait d'innombrables tisanes [1].
Les arômes drainent les toxines qui stagnent dans le sang. Leurs propriétés dilatent et contractent les vaisseaux sanguins et les capillaires. Ils agissent comme des micro-pompes qui font circuler ces liquides et leurs toxines vers les organes d'élimination, et les empêchent de se déposer sur les tissus.

ARÔMES ET MUCUS

Une des plus intéressantes propriétés des arômes est leur action solvante du mucus (lat. *mucus*, morve). Le mucus est une sécrétion naturelle, un liquide gélatineux produit par les muqueuses de la bouche, du nez, de l'œil, de l'estomac, de l'intestin et du vagin pour les lubrifier et les protéger des substances irritantes, corrosives et/ou toxiques.
L'estomac, par exemple, est tapissé d'un film de mucus pour se protéger de l'action corrosive de ses propres sucs digestifs. Sans ce mucus, l'acide chlorydrique contenu dans les sucs digestifs pourrait le perforer.

Une consommation excessive d'aliments à base d'amidon raffiné (farine blanche) et dénaturés par la cuisson provoque une importante production de substances colloïdes qui se diffusent dans le système sanguin et lymphatique. Ces déchets colloïdaux congestionnent les vaisseaux et ralentissent tous les échanges métaboliques [2].
Dans son livre : *Food is your best medecine*, le Dr. H. Bieler relève que l'élimination des déchets mucoprotéiniques par les muqueuses est la cause des rhumes, des sinusites, de la grippe, des bronchites, des ulcères, des pertes vaginales et des règles abondantes [3].

Avec les graines aromatiques, la réforme alimentaire n'est plus restrictive mais additive : ni suppression, ni diminution mais tout simplement rajouter dans nos plats des substances qui vont limiter et/ou dissoudre la formation de ce mucus.

Avec les graines germées aromatiques, la célèbre citation d'Hippocrate : *Que l'aliment soit ton médicament*… trouve ici toute sa signification !

1. Tout savoir sur le pouvoir des plantes médicinales. Éditions Favre, Lausanne. 1997.
2. Muculess Diet Healing System. Ehret Arnold. Ehret Literature Publishing Co. Cody, Wyoming. 1953.
3. Food is your best medecine. Henry G. Bieler. Ed. Random House Inc. NY et Toronto. 1965.

La graine est le symbole de la vie, elle est le témoin de la plante qui sèche et qui meurt en libérant ses semences, sa progéniture. La plante se meurt, mais la vie s'est multipliée dans d'innombrables graines et d'innombrables embryons. La vie est éternelle : naissance, mort et renaissance !

LES RÉSERVES ALIMENTAIRES

La graine, c'est un embryon de plante entouré de réserves alimentaires juste suffisantes pour tenir jusqu'au développement de ses racines.
Elle est revêtue de son manteau protecteur, le tégument, qui la protège contre les éléments extérieurs dans l'attente de jours meilleurs.
Les réserves alimentaires sont composées d'amidon (sucre complexe), de protéines, de matières grasses, de fibres ainsi que de quelques vitamines, hormones et enzymes.

Dans les céréales (blé, quinoa) et les légumineuses (alfalfa, fenugrec, lentille, pois chiche, soja), les réserves sont dites amylacées (amidon et alumine) car l'amidon prédomine sur les autres substances nutritives. Ces graines fournissent des sucres et des protéines d'excellente valeur biologique.

Dans les graines oléagineuses (amande, sésame, tournesol, noix diverses), les réserves sont constituées principalement de lipides (huiles et aléones). Ces graines fournissent des acides gras (matières grasses) naturels et non dénaturés.

Dans les graines aromatiques (roquette, fenouil, moutarde, oignon, radis, cresson) les réserves sont des huiles volatiles. Ces graines fournissent des substances phytosanitaires aux propriétés remarquables pour la santé.

LA DORMANCE

Les graines fraîches germent très difficilement, même si les conditions extérieures sont propices, car la dormance évite la germination immédiate. Cette dormance, ce sommeil, est réglé par une sorte d'horloge biologique qui règle l'activité de certaines hormones qui inhibent la croissance.
Cette horloge est programmée pour laisser passer l'hiver car les graines n'auraient aucune chance de survie pendant la saison froide.
On ne peut être qu'émerveillé par le soin que se donne la nature pour s'assurer de la continuité de la vie !

Certaines variétés de graines (oignon, fenouil et tournesol) peuvent persister à dormir ; elles ne veulent pas germer ou germent mal ! Dans ce cas, il faut les mettre un jour au frigo avant de les faire germer : une façon de leur faire croire que ce coup de froid, c'est l'hiver qui vient de passer et que le moment est venu de se réveiller !

L'ALIMENT IDÉAL

recherche…

Légume frais,
qui pousse en quelques jours,
rivalise avec la viande en valeur nutritive
et avec les tomates en vitamines C.
Peut-être cultivé en toutes saisons, sans terre,
ne produisant pas de déchets
et qui peut être mangé cru.

C'est au Dr. Clive McCay de l'Université de Cornell (USA) dans les années 50, à qui l'on doit cet avis de recherche de l'aliment idéal. Nul doute qu'il l'a trouvé, quand il écrit : *Chaque foyer pourrait, dans un jardin de cuisine, produire des graines germées de haute valeur alimentaire.*

UN JARDIN D'INTÉRIEUR

Faire germer des graines pour pouvoir les consommer sous forme de petites pousses de plantes est non seulement une activité ludique et pédagogique, mais aussi et surtout une assurance de pouvoir bénéficier d'aliments écologiques et biogéniques à hauts pouvoirs nutritifs et faiseurs de santé. Voilà une façon très efficace et très élégante de manger des végétaux frais toute l'année, sans être dépendant des conditions climatiques et ce, à très bas prix et en un temps record, de un à sept jours !
Les graines germées passent directement du bocal à notre assiette, avec un potentiel vital inaltéré.

Autonomie alimentaire, fraîcheur et richesse nutritive... il est difficile de faire mieux en matière d'alimentation ! Alors à vos bocaux et en avant la culture !

UN JARDIN DE RÊVES

Avec quel émerveillement à l'école enfantine n'a-t-on pas vu pousser dans une assiette une graine de haricot maintenue humide par de la ouate mouillée ?
D'une graine est sorti un germe, puis des racines, une tige et deux petites feuilles. Cela pouvait nous sembler encore possible pour nos yeux d'enfants car toutes ces merveilles, comme la maîtresse nous l'avait si bien expliqué, étaient repliées dans la graine.

Mais que penser quand elle nous apprend que si l'on avait placé cette même graine sur de la terre, elle aurait continué de pousser pour devenir une plante pouvant atteindre plus de deux mètres de hauteur. Pour ensuite fleurir et produire des fruits sous forme d'une multitude de petites graines identiques ! Alors là… tout ça ne rentre plus dans cette petite graine de haricot ! Que de merveilleuses leçons de vie et de coopération avec les forces d'une nature si mystérieuse ! Si comprendre la vie demande de l'imagination, utiliser ses forces est plus facile, plus ludique et très utilitaire ! Car faire germer des graines c'est savoir manipuler et jouer avec les éléments que sont l'eau, le feu (chaleur) et l'air dans le but de rendre possible la croissance de ces mini-plantes.

DES MINI-LÉGUMES

Malgré leur petite taille, il ne faut pas trop se fier aux apparences, les graines sont plus nutritives germées que consommées sous forme de céréales (pâtes, pain) ou de légumes (radis, oignon) car elles sont plus concentrées.
Elles sont bien petites de taille mais leur consommation régulière, même en petites quantités, produit de grands effets !

DU FRAIS… DANS LES GRANDS FROIDS

Dans les pays du nord, l'agriculture n'est pas une richesse nationale. Le froid y est trop intense, cela inhibe la pousse ! Seuls les légumes poussant sous terre, quelques petits fruits d'été et certaines céréales ont des chances de pousser dans de pareils frimas.
Dans ces pays, une très grande partie de l'alimentation est importée, augmentant considérablement le prix de tous les produits frais.

Et si ce n'était qu'une question de prix, passe encore, mais le problème c'est que ces légumes et ces fruits importés ont très peu de saveur, ils sont insipides car ils ont été cueillis trop tôt et n'ont pas mûri au soleil pour cause d'exportation.

Dans ces pays nordiques, là où les légumes et les fruits frais se font rares, les graines germées sont un moyen écologique et très économique de pouvoir bénéficier d'aliments vivants, biologiques, frais et nutritifs tout au long de l'année.
Les carences en vitamines que l'on rencontre souvent chez ces habitants pourraient être comblées très facilement par les graines germées et tous devraient pouvoir bénéficier des bienfaits de ces mini-légumes.

Les graines germées sont des aliments exceptionnels car ils peuvent se produire en intérieur et sans terre, ce qui simplifie non seulement la culture mais réduit considérablement les coûts de production ! Quand on sait que dans un local de cent mètres carrés il est possible de produire deux tonnes de graines germées par semaine... il n'y a plus à hésiter ; aucun champ ne peut rivaliser pareil rendement.

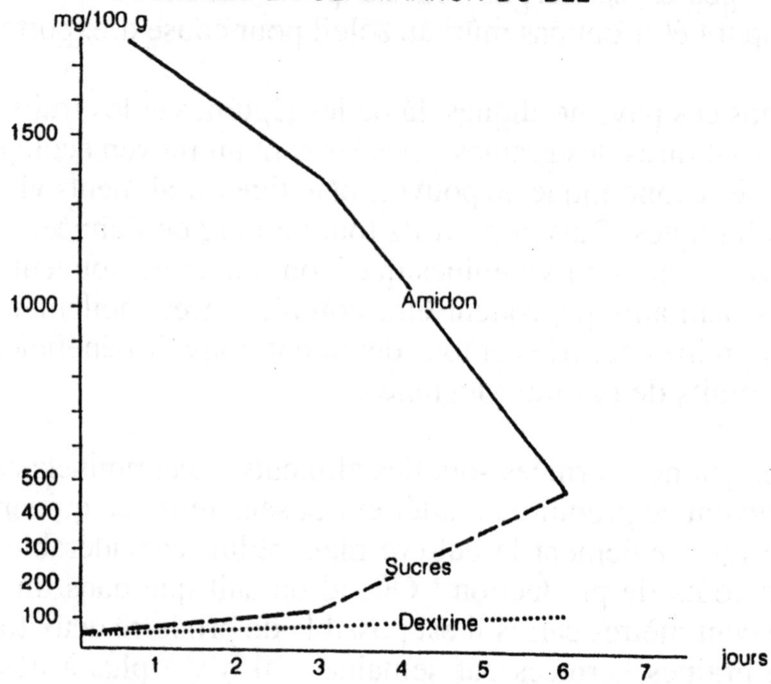

Extrait de : Dr SOLEIL, *Graines germées, jeunes pousses* - Ed. Soleil, Genève, 1985

Métabolisme de l'amidon
Changements dans la composition du blé en germination (en mmg pour 100 graines)

Jour de germination	Poids sec	Lipides	Total des sucres	Dextrine	Amidon
0 (graine complète)	2 685	66.9	53.9	43.5	1 781
2	2 593	57.6	131.2	111	1 079
6 (germe complet)	2 476	45.9	465.8	120.5	472.1
			le 12ème jour......		20.2

(Extrait d'une étude de Yocum 1925, citée par V.Kulvinskas "Nutritional Evaluation of sprouts and grasses")

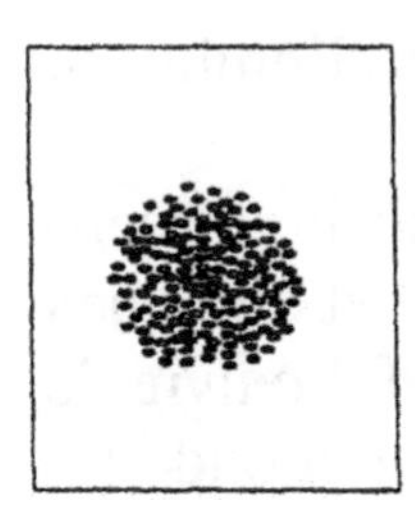

les graines, si possible biologiques et dont la qualité est dite : spécial germination.

- propres et bien sèches, sans être cassantes toutefois ! La couleur doit être bien prononcée et non décolorée.

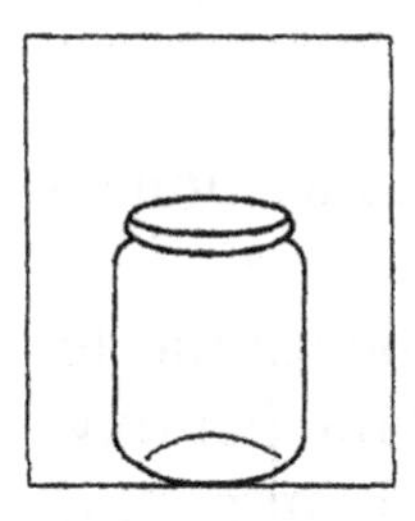

l'emballage, en verre ou en plastique rigide avec une fermeture hermétique.

- bocal stérilisé : cinq ans de conservation.
- stérilisé et graines sous vide d'air : plus de cinq ans de conservation.

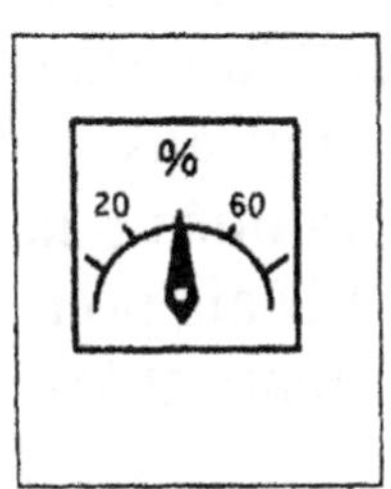

au sec, dans un placard de la cuisine, 60 % d'humidité : un an de conservation.

- pour une longue durée, jusqu'à cinq ans et plus ; l'humidité doit se situer entre 20 et 40 %.

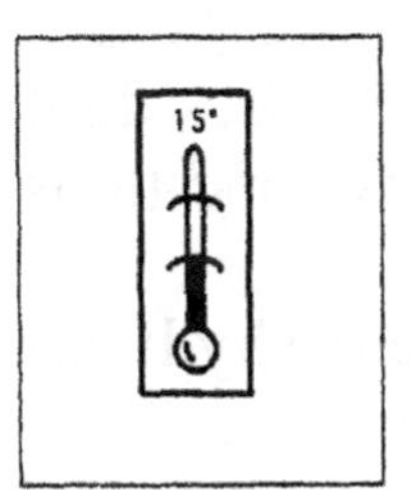

au froid, à la température des lieux habités, 18 à 22 °C : un an de conservation environ.

- à la cave, 14 à 16 °C : jusqu'à deux ans.
- dans un frigo à 4 °C : cinq ans et plus.

dans l'obscurité, pour les graines en cours d'utilisation : l'obscurité d'un placard de la cuisine est suffisante.

- pour une longue durée de conservation, l'obscurité doit être totale.

Caché dans la graine et protégé par un tégument, l'embryon de plante s'endort sur ses provisions.
Dame nature n'a pas trouvé mieux pour assurer la descendance de la plante ; un embryon dans une graine et quelques provisions ! C'est petit, compact et séché ; un chef d'œuvre de miniaturisation… et le plus petit garde-manger du monde !

LES PRÉCAUTIONS ÉLÉMENTAIRES.

Des graines que l'on veut stocker pendant quelques années demandent quelques précautions.
Ce n'est pas parce que la graine someille, qu'elle est morte. Imperceptiblement, elle respire et épuise sa vitalité par oxydation avec l'humidité ambiante. Elle dort et vit au ralenti, mais sa vie n'est pas éternelle ! La dormance peut durer des années mais il ne faut pas trop rêver ! Après vingt ans, la capacité germinative s'en trouve fortement diminuée ; la graine germera peut-être… mais en laboratoire ! Mais pour nos besoins, cinq ans de stockage sont tout à fait réalisables.

LA DURÉE DU STOCKAGE.

La durée du stockage dépend de plusieurs paramètres dont ceux liés à la graine elle-même et ceux liés aux conditions du stockage.
La variété des graines, la qualité et le taux de déshydratation déterminent, en partie, la durée de conservation.
À cela viennent s'ajouter les conditions du stockage, soit : l'emballage, l'humidité, la température et l'obscurité.

LA VARIÉTÉ.

Certaines variétés de graines gardent leur pouvoir germinatif pendant des années, d'autres l'épuisent vite. Mais pour toutes, la vitalité s'amenuise avec le temps !

Les légumineuses se conservent bien deux ans et elles sont rarement habitées par des parasites. Le soja fait exception car dès la deuxième année, il perd 30 % de son pouvoir germinatif chaque année !

Les céréales se conservent quelques années, mais il n'est pas rare de voir au fond des emballages un peu de poudre d'amidon… les restes des agapes d'insectes ! Pour éviter cet inconvénient, déposer à côté des graines des pochettes en coton remplies de graines de fenugrec ; l'odeur fera fuir les mites et autres parasites.
L'alfalfa se conserve bien jusqu'à deux ans, mais dès la troisième année, il se dévitalise progressivement.

Les graines aromatiques : cresson, fenouil, moutarde, radis, et roquette épuisent rapidement leurs huiles… qui se volatilisent ! Après une année, certaines voient leur taux de germination baisser de 50 %. D'autres, comme le cresson, après deux ans, perdent presque d'un jour à l'autre 80 % de leur pouvoir germinatif. En horticulture, on dit que ces graines *coulent*.

Les graines oléagineuses sont plus délicates à cause de leur haute teneur en huile qui s'oxyde facilement à l'air libre. Ces graines peuvent se décolorer et devenir rances, donc inconsommables. Pour ces graines, il est plus sage de les garder au frigo si l'on veut les conserver quelques années.

LA QUALITÉ.

Utiliser si possible des graines *spécial germination* qui sont vendues dans les magasins diététiques. Ces graines ont été sélectionnées pour leur haut pouvoir germinatif.

Utiliser si possible des graines biologiques. Si cela n'est pas possible, cela ne doit pas vous empêcher d'en stocker car beaucoup d'entre elles sont cultivées sans engrais, comme l'alfalfa et la lentille.
Il est préférable de stocker des graines issues de la dernière récolte car leur potentiel germinatif est à son maximum.

LE TAUX DE DÉSHYDRATATION

Pour les conserver et faciliter leur commercialisation, les graines sont déshydratées. Elles ne contiennent que 5 à 10 % d'humidité (sur l'épi : 20 à 50 %).

Cette déshydratation les protège des moisissures ainsi que des champignons et autres levures microscopiques qui ne peuvent s'activer, par manque d'eau.

Si les graines sont trop sèches, moins de 4 % d'humidité, elles deviennent cassantes et leur couleur ternie. Des petits écarts d'humidité lors du stockage peuvent les altérer.

Si les graines sont trop humides, 15 % d'humidité, l'ongle s'enfonce lorsqu'on les compresse et elles sont reluisantes. Ces graines peuvent développer des moisissures en cours de stockage, réduisant ainsi leur pouvoir germinatif.

L'EMBALLAGE

Pour protéger les graines de l'humidité, de la lumière, des insectes et autres petits rongeurs, l'emballage doit être rigide et doit pouvoir se fermer hermétiquement.

Le verre est conseillé pour le stockage de longue durée car il peut être stérilisé et on peut y faire le vide d'air. Toutefois il est lourd, cassant et transparent. Il faudra alors le placer dans un endroit à l'abri de la lumière.

Un récipient en plastique alimentaire peut faire l'affaire s'il est assez rigide, avec une fermeture hermétique et qui ne se déforme pas et ne s'assèche pas au cours des ans.

Coller une fiche d'information sur chaque emballage pour indiquer la variété, le numéro du lot, la provenance ainsi que la date de récolte et d'emballage.

AU SEC

Le lieu de stockage doit être sec et l'humidité ambiante doit se situer entre 20 et 40 % maximum. L'humidité est le plus important danger qui guette les graines.

L'humidité des caves se situe aux environs de 40 %, et la température de 16 °C environ. Ces conditions climatiques permettent de stocker des graines pendant deux ans, pour autant que les autres conditions liées aux graines elles-mêmes soient respectées.
Prolonger la durée de conservation à 5 ans nécessite un taux d'humidité de 20 % au maximum.

AU FROID

Le froid conserve c'est bien connu et les graines ne font pas exception à la règle ! Comme le froid ralentit le métabolisme des graines, l'usure met plus de temps à se manifester et la vie semble s'allonger !
La température du lieu du stockage doit se situer entre 4 °C et 12°C, mais plus c'est froid (ne pas descendre toutefois au-dessous de 1°C), plus longue sera la conservation.
Ce que les graines redoutent le plus, c'est le changement de température et les problèmes de condensation qui y sont liés car ils produisent de l'humidité.

Certaines graines peuvent être habitées par des insectes, des larves ou des parasites minuscules. Si ces hôtes sont utiles dans le grand cycle de la nature, ils sont nuisibles pour nos réserves qu'ils ne vont pas se priver d'entamer si on leur en donne la moindre occasion.

Le froid empêche le réveil de la larve ainsi que l'éclosion du papillon ! Si le froid conserve, il refroidit aussi l'ardeur des parasites, il les inactive.

La courge, le sésame et le tournesol sont les graines les plus susceptibles d'héberger ces hôtes, ce qui les rend difficile à stocker longtemps si elles sont trop vieilles ou ne sont pas réfrigérées.

Ces graines sont aussi riches en huiles qui peuvent s'oxyder (rancir) facilement au contact de l'air. Il vaudrait mieux les conserver dans un emballage fermé hermétiquement.

À L'OBSCURITÉ

Dans tous les cas, stocker les graines dans l'obscurité car la lumière réduit progressivement le pouvoir germinatif.

ET POUR FINIR...

Ces conditions de stockage ne concernent que les graines que l'on veut stocker plus d'une année. Pour celles d'usage courant, l'armoire de la cuisine ou le frigo est amplement suffisant.

Les graines vieillissent naturellement par oxydation, tout comme les êtres vivants d'ailleurs !
Seulement voilà, les graines, elles, retiennent leur souffle et s'oxydent moins vite, cela prolonge leur vie !

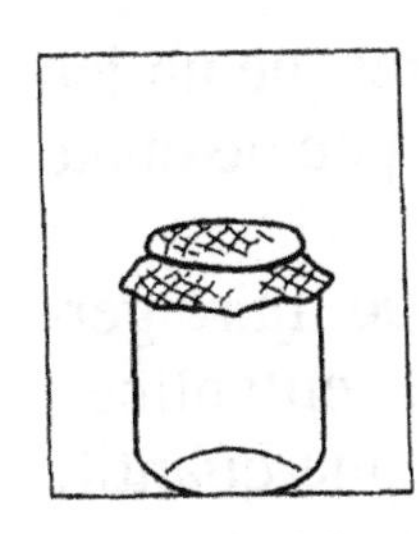

dans un bocal en verre ou en plastique, dont l'ouverture est fermée par un voilage tenu par un élastique.

- le bocal permet de cultiver presque toutes les graines, d'où sa popularité.

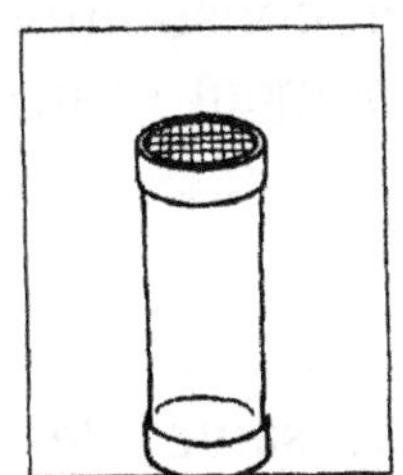

dans un tube en plastique, dont les deux extrémités sont fermées par un couvercle perforé et vissable.

- tube pratique car avec ses deux ouvertures, les rinçages et l'aération sont facilités.

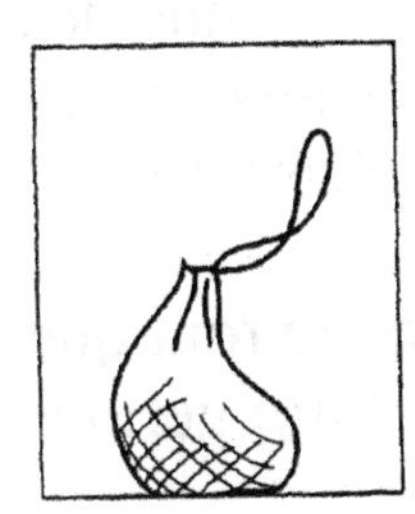

dans un sac muni d'une cordelette, pour le fermer et le suspendre.

- uniquement pour la culture des grosses graines : amandes, lentilles, soja, pois chiches et noix diverses.

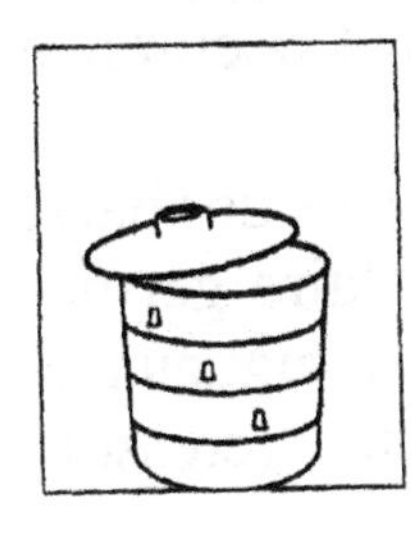

dans des bacs en plastique, empilés les uns sur les autres.

- une petite merveille de germoir qui permet de faire germer plusieurs graines en même temps.

sur une grille en plastique perforé et posée sur un bac réservoir d'eau.

- excellente méthode pour la culture des jeunes pousses : blé, sarrasin et tournesol non décortiqués.

Faire germer une graine, c'est très simple… presque un jeu d'enfant ! Une graine, une assiette creuse et un peu de ouate humidifiée ; c'est tout !
Si on se limite à l'aspect ludique et pédagogique, faire germer une graine est vraiment d'une simplicité… enfantine ! Plus compliqué, par contre, d'en faire germer une quantité suffisante pour les besoins d'une famille qui en consomme régulièrement car cela requiert un peu d'équipement et un minimum de main verte.

LA GERMINATION UTILITAIRE

On trouve dans les magasins diététiques ou de santé, des germoirs utilisant des récipients les plus divers, tels que des bocaux, des bacs avec ou sans trous empilés les uns sur les autres et même des figurines en argile (arbre, hérisson).

Toutefois, tous ces récipients et autres germoirs ne font que reproduire une des trois façons possibles pour faire germer des graines.
On peut les faire germer dans un volume, en l'occurence dans un bocal ou dans un sac.
On peut les faire germer à plat, en l'occurrence dans des bacs.
Avec les figurines d'argile, on peut même les faire germer accrochées sur une surface. Comme l'argile est rugueux et absorbant, les graines mucilagineuses, collantes (cresson, roquette) peuvent s'y accrocher.

Certaines graines poussent mieux dans un volume, d'autres sur une surface. Pour répondre aux besoins spécifiques des graines, différents germoirs ont été conçus. Bocaux, bacs, mini-serres ne manquent pas ; à nous d'adopter la méthode qui correspond le mieux à nos besoins et aux graines.

Avec la culture en bocal, les graines poussent dans un volume et non pas à plat dans des bacs.
Par les différentes manipulations du bocal et pendant les rinçages, les graines sont brassées, on pourrait même dire… désorientées, sens dessus dessous !
Les graines germées sont soumises à l'attraction terrestre qui impose un axe à la pousse : racines en bas et feuilles en haut. Il y a une position de pousse optimale, perpendiculaire au sol.

LA GRAVITÉ… DE LA GRAVITATION

Il ne faut pas croire cependant que ces brassages font perdre aux graines le sens d'orientation. Dans leur tentative pour se remettre dans le bon sens, les tiges se tordent. Les graines ne perdent jamais le nord… mais au prix des contorsions !
Si on cultive de l'alfalfa dans un bocal (ou toute autre graine avec feuilles), les tiges tordues se développent mal.
Par contre, si on cultive de l'alfalfa à plat dans un bac, les tiges poussent bien droites et plus longues, 25 % environ.

LES EFFETS TORDANTS DE LA GRAVITÉ

Tant que la culture ne se prolonge pas au-delà des germes, ces changements d'orientation sont négligeables.
Pour ces graines *germes* (sans feuilles) : blé, courge, lentille, pois chiche, sarrasin, sésame, soja et tournesol, la culture en bocal est de loin la plus appropriée et la plus efficace, car les graines ne poussent pas assez pour remarquer les effets tordants de la gravité sur les embryons de tiges.

Mais dès que la culture se prolonge jusqu'à l'apparition des feuilles, les effets des changements d'orientation sont très visibles ; les tiges se courbent et présentent des boursouflures et des rétrécissements.

Ces graines poussent moins vite et moins longues, et elles se conservent moins longtemps au frigo car elles contiennent trop d'eau dans les tiges au niveau des boursouflures.

Pour ces graines à feuilles, comme l'alfalfa et le radis, l'idéal serait de les cultiver dans un bocal les premiers jours puis de les baigner pour enlever les enveloppes et les débarrasser des graines qui n'ont pas germé. Après le bain, il faudrait les faire germer les derniers jours à plat dans un bac pour profiter de la gravité.
Cette façon de procéder est un peu plus laborieuse mais elle n'est pas indispensable pour les besoins familiaux car elle complique singulièrement la culture. Il est possible de faire presque aussi bien dans un bocal.

LES AVANTAGES DU BOCAL

Comme les graines poussent dans un volume et non pas à plat, il y a gain de place, ce qui est loin d'être négligeable !

Lors des rinçages, toutes les graines baignent dans l'eau, et les graines germées qui ont une tendance à s'entremêler se démêlent par le brassage de l'eau, ce qui évite les amas de graines qui fermentent ou pourrissent par manque d'air.
Les rinçages humidifient les graines et évacuent aussi les gaz de fermentation, la chaleur, les moisissures ainsi que les insecticides naturels contenus dans les graines, comme l'acide phytique notamment.

Le drainage de l'eau hors du bocal est très efficace car toute l'eau s'évacue, ce qui n'est pas le cas avec la culture à plat dans des bacs, où une petite quantité d'eau reste toujours au fond des bacs.

Faire germer des graines dans un sac est une méthode très prisée par les voyageurs car elle n'a pas l'inconvénient d'un bocal rigide qu'il faut pouvoir placer dans une valise déjà bien remplie !
Un sac de germination prend peu de place car vide, il se range facilement et plein, il peut rester accroché à la valise pendant le transport.

La culture en sac donne des résultats satisfaisants avec les grosses graines (car elles s'étouffent moins facilement) qui demandent peu de travail et que l'on trouve dans le monde entier : amande, courge, lentille, pois chiche et soja.

QUELQUES INCONVÉNIENTS

La culture en sac comporte de très sérieux inconvénients, dont le principal étant le manque d'aération dans la masse des graines en germination.
Cet inconvénient se manifeste spécialement avec les petites graines qui forment un amas peu perméable à l'air… et ce manque d'oxygène provoque des moisissures !

Si de l'air manque à l'intérieur, les courants d'air extérieurs risquent, eux, d'assécher les graines. Il faudra être attentif et penser à les rincer plus souvent.
Pour éviter cet assèchement, on peut éventuellement placer le sac de germination dans un sachet en plastique, tout en prenant soin de le garder ouvert, pour l'aération.

Il n'est pas du tout recommandé d'utiliser cette méthode de culture pour les graines à feuilles car comme elles ne sont pas protégées contre les chocs, ou l'écrasement, les tiges vont se casser et provoquer fermentations et putréfactions.

À PROPOS DU SAC.

Pour confectionner un sac de germination, utiliser le même voilage que celui utilisé pour boucher l'ouverture du bocal. Ce voilage de rideau, si possible en polyester, se trouve au rayon mercerie de n'importe quel grand magasin.
Ce voilage n'a malheureusement aucun pouvoir absorbant et ne retient pas l'humidité… mais il est si facile à nettoyer : secouer et passer sous l'eau, c'est fait !

Quant à l'utilisation de coton ou de lin (qui ont l'avantage d'être absorbants) pour confectionner un sac, la maille étant trop serrée, cela limite l'arrivée d'air frais et l'évacuation des gaz. Fermentations, moisissures et putréfactions seront difficiles à contrôler !

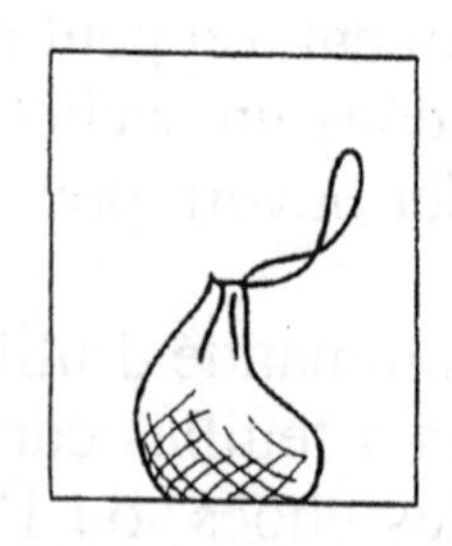

LE GERMOIR BIOSNAKY GERMINATOR

On trouve dans le commerce un germoir composé de quatre bacs posés les uns sur les autres. Les deux bacs du milieu sont équipés d'un siphon qui maintient une petite quantité d'eau au fond du bac et permet l'écoulement du trop-plein. Ils sont aussi striés, pour éviter que les graines ne reposent dans l'eau au fond des bacs.
L'eau d'arrosage est versée dans le bac du haut puis s'écoule de bac à bac via les syphons, jusqu'au bac collecteur de l'eau d'arrosage.
Ce germoir est très pratique car il permet de cultiver plusieurs graines en même temps.

AVANTAGE... GRAVITÉ

Avec la culture à plat, la position des graines ne change pas (ou très peu) car lors des rinçages, elles ne sont pas brassées comme elles le sont avec la culture en bocal. Les graines se maintiennent orientées par rapport à la gravité ; racines en bas et feuilles en haut. De ce fait, la pousse est plus uniforme, les tiges sont plus longues et mieux formées et ne présentent ni les gonflements, ni les rétrécissements provoqués par la culture en bocal. Comme les tiges contiennent plus de fibres et moins d'eau, elles sont plus résistantes et se conservent mieux.

Le maintien de la position des graines dans l'axe de gravité est l'avantage incontestable de la culture à plat.
À noter, toutefois, que cet avantage n'est réellement utile que pour les graines que l'on cultive jusqu'au développement des feuilles.
Les graines *germes* (sans feuilles) ne sont pas assez longues pour manifester les effets "tordants" de la gravité sur les tiges.

ATTENTION AUX MOISISSURES

La culture à plat impose une contrainte incontournable avec les petites graines : celle de devoir les répartir sur une seule couche afin d'éviter qu'une deuxième couche ne les étouffe et provoque des moisissures, par manque d'aération.

Comme un peu d'eau repose au fond des bacs et qu'il y a toujours quelques graines qui ne germent pas et des enveloppes qui se déposent entre les stries, ces graines et ces enveloppes peuvent fermenter et créer des moisissures.
Pour diminuer ces risques, laver, tremper et bien rincer les graines avant de les répartir dans les bacs. Cela éliminera déjà une grande partie des phytates (pesticides naturels) et des inhibiteurs de croissance contenus dans les graines qui peuvent perturber la pousse si les conditions de germination ne sont pas satisfaisantes.

Avec la culture des grosses graines comme la lentille et le pois chiche, les risques sont moins grands car l'aération est meilleure et les graines qui sont trop grosses ne peuvent pas se déposer entre les stries.

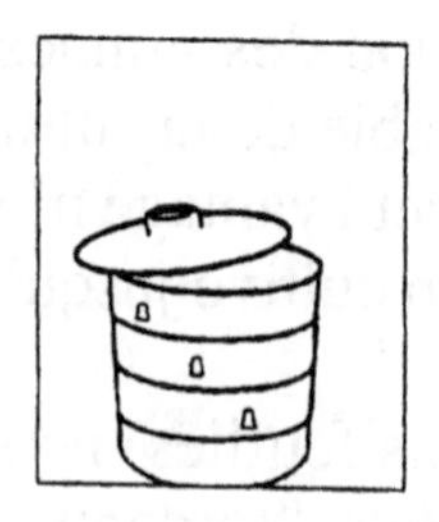

LE GERMOIR BIO-SNACKY HYDRO 12

Les graines, préalablement trempées, sont réparties sur une seule couche sur une grille perforée qui est posée au dessus d'un bac réservoir d'eau.
Un couvercle maintient l'humidité pendant les premiers jours de la culture jusqu'à ce que les racines touchent l'eau du réservoir.
Les graines germent ; les racines se développent et passent à travers les trous de la grille pour atteindre l'eau du bac réservoir. Prenant appui sur la grille, les graines poussent et se redressent sur leur tige, et les feuilles se déploient.
À la récolte, coupez les pousses à la base des tiges.

LES POUSSES… ÇA POUSSE

Cette méthode de culture respecte les deux plus importantes conditions de la germination : elle maintient la position des pousses dans l'axe de gravité et seules les racines sont en contact avec l'eau du réservoir.
Les graines qui ne germent pas ainsi que les enveloppes détachées des feuilles reposent sur la grille et ne sont donc pas en contact avec l'eau. C'est pour cette raison qu'on peut augmenter la durée de germination (donc la longueur des pousses) sans risque de fermentations et de moisissures.

Cette mini-serre s'utilise exclusivement pour la culture des jeunes pousses : blé, sarrasin et tournesol non décortiqués, dont les tiges peuvent atteindre vingt centimètres de long ! Pour les autres graines à feuilles, les avantages d'une plus longue pousse (bien moins longue, cependant, que les trois graines citées çi-dessus) ne compensent pas l'inconvénient majeur de cette méthode qui prend beaucoup de place pour peu de récolte et des racines.

Plus de *pousse*... mais moins de graines et avec des racines : ceci ne compense pas cela au vu de la surface utilisée.
À noter que ce germoir ne convient pas pour les grosses graines (lentille, pois chiche, sarrasin, soja) car l'humidité dans la serre n'est pas suffisante.

Attention à l'eau du réservoir : éviter que des graines n'y tombent dedans et ne se décomposent.

Après chaque culture, nettoyer la grille et le réservoir à la brosse et au savon.
En cas de moisissures, tremper quelques minutes dans de l'eau de javel ou du vinaigre pour désinfecter, puis rincer.

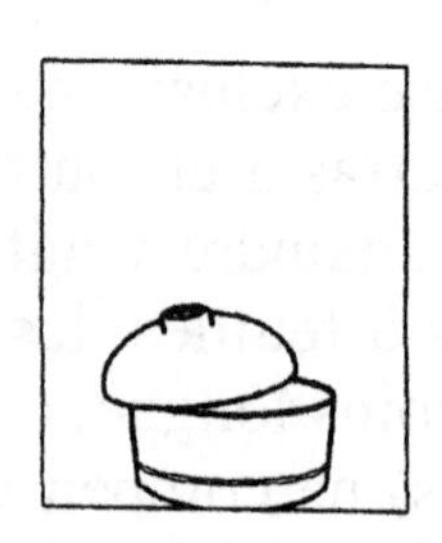

Si faire germer des graines à but familial demande des bocaux et un peu de savoir faire, la culture industrielle, elle, impose des connaissances et des contraintes autrement plus importantes : contraintes de quantité, de qualité, d'efficacité du mode de culture, de rendement et de conservation des graines !

LES ÉTAPES DE LA CULTURE INDUSTRIELLE

Dans l'industrie, le bocal est remplacé par une cuve de trois cents litres et les bacs par des barquettes.
Les graines germées à feuilles sont cultivées dans la cuve les trois premiers jours puis sont baignées pour enlever les enveloppes et les graines qui n'ont pas germé.
Elles sont ensuite transférées dans des barquettes puis posées sur un germoir/étagère pour les derniers jours de germination pendant lesquels les graines se positionnent d'elles-mêmes dans le sens la gravité.

L'industrie exploite donc les avantages des deux méthodes majeures utilisées en germination :
Elle exploite le volume les trois premiers jours de la culture pour sa meilleure distribution de l'eau d'arrosage et son drainage plus efficace ; une aération plus aisée ainsi qu'un gain de place très apprécié.
Elle exploite la surface les derniers jours de la culture pour bénéficier des effets de la gravité et produire des pousses plus longues, de meilleure qualité et qui se conservent plus longtemps au frigo.

Les graines cultivées pour leur germe sont produites dans la cuve uniquement car la gravité a peu d'effet sur de si petits embryons de tiges.

LES MOISISSURES

Les moisissures sont des champignons microscopiques qui se manifestent sous forme de duvet ouaté recouvrant les graines quand il y a un excès d'humidité et/ou pas assez d'aération. Par manque d'oxygène, les graines poussent trop lentement et n'absorbent pas suffisamment l'eau des rinçages, ce qui maintient une forte humidité propice à la prolifération des champignons !

Les moisissures blanches ne sont pas nocives, elles disparaissent lors du bain.
Les moisissures grises ou brunes sont nocives donc impropres à la consommation. Jeter les graines et nettoyer le bocal à l'eau de javel pour le désinfecter.

CONTRER LES MOISISSURES

Pour éviter les moisissures, l'aération est primordiale. Pour cela, augmenter les répartitions en cours de culture afin de redistribuer l'humidité dans la cuve et faciliter l'évaporation. Si cela n'est pas suffisant, utiliser du peroxyde d'hydrogène vendu en droguerie. Sa formule chimique H^2O^2 est on ne peut plus explicite : c'est de l'eau H^2O, associée à une molécule supplémentaire d'oxygène !
Le peroxyde d'hydrogène sera dilué à raison de 1 % dans l'eau du trempage ou à l'eau des rinçages, tous les 2 jours.

les graines, de préférence biologiques.

- d'un bon pouvoir germinatif, de qualité *spécial germination*, si possible.
- bien nettoyées, si possible exemptes de déchets végétaux ou de graines cassées.

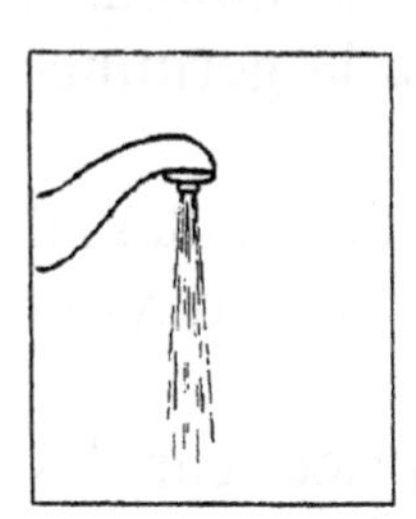

l'eau doit être potable, propre à la consommation humaine ; l'eau du robinet ou celle d'un puits devrait aller.

- certaines eaux sont trop polluées et/ou trop chlorées ; dans ce cas, un filtre est conseillé.

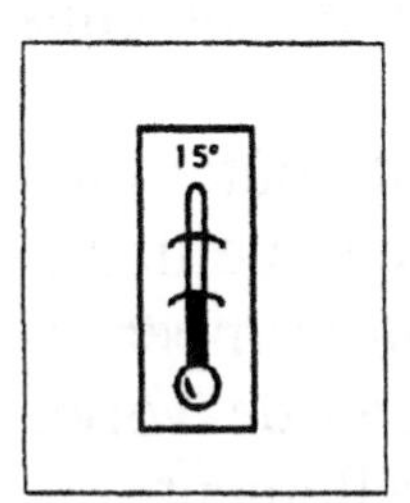

la chaleur idéale du lieu de culture se situe à 20°C, avec plus ou moins 2°C.

- rincer les graines avec de l'eau tempérée si le lieu de la culture n'est pas assez chaud.

la lumière devient nécessaire dès que les feuilles apparaissent, pour les verdir.

- ne pas exposer les graines directement au soleil, les gouttelettes à l'intérieur du bocal font *loupe* et peuvent brûler les tissus.

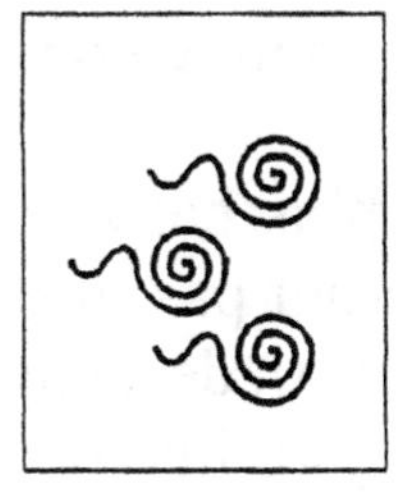

l'air apporte de l'oxygène ; ce dernier est un puissant agent réactif de la matière vivante.

- un échange d'air doit donc toujours être possible entre l'extérieur et l'intérieur du bocal.

L'EAU

Sans eau, il n'y a pas de vie ! Il n'est donc pas étonnant que l'eau soit présente à chaque étape de la germination, qui est une manifestation on ne peut plus évidente de la vie !
L'eau est le premier élément pour initier la germination. Par la suite, elle intervient pour maintenir les graines humides, pour les nourrir et les débarrasser des gaz que la germination engendre.
L'eau étant le lait nourricier de ces embryons de plantes, il est impératif qu'elle soit potable et l'eau du robinet devrait donc convenir.
Par contre, l'eau distillée n'est pas appropriée car les graines ont besoin des minéraux inorganiques contenus dans l'eau courante.
Rincer les graines avec de l'eau minérale peut coûter cher pour des résultats qui ne sont pas nécessairement meilleurs. En cas de doute sur la qualité de l'eau, on peut tremper les graines dans de l'eau non chlorée, comme l'eau de Volvic ou celle du Mont-Roucous, non gazeuse naturellement.

LA CHALEUR

La germination est impossible sans chaleur (18 à 22 °C), le deuxième élément symbolisé par le feu.
Les graines en provenance des pays chauds poussent plus facilement si la température du lieu de culture est un peu supérieure que celle préconisée.
L'amande, le sésame, le soja et le tournesol supportent volontiers une chaleur plus élevée.
D'autres graines supportent des températures plus basses : l'alfalfa, le cresson, la lentille et le blé n'en seront pas trop affectés. Pour ces graines, rincer avec de l'eau tiède peut suffire à maintenir la température propice à la germination.

LA LUMIÈRE

Dès que les feuilles apparaissent et que les enveloppes s'en détachent, les feuilles verdissent grâce à la multiplication des molécules de chlorophylle (le pigment vert des plantes), qui sont de véritables pièges à photons, les particules de lumière. L'exposition à la lumière augmente de 20 % le contenu en protéines et de 25 % celui des vitamines C. La longueur des pousses augmente également, d'environ 25 %.
En principe, la luminosité d'une cuisine avec fenêtre ainsi que l'éclairage électrique sont suffisants pour permettre le verdissement des feuilles.
Éviter d'exposer les graines directement à la lumière du soleil car elles *cuisent* et se décomposent !

L'OBSCURITÉ

Tant que les graines n'ont pas développé leurs feuilles, la lumière est inutile car elle peut provoquer le développement prématuré des feuilles au détriment de la longueur des tiges. S'il est vrai que les graines germent mieux dans l'obscurité les premiers jours, il n'est pas indispensable de les faire germer dans l'obscurité complète. Cela n'apporte pas de grands changements à la qualité de la culture, ni à la valeur nutritionnelle des graines germées.
La culture dans l'obscurité complète ne concerne que les pousses de soja, dont les tiges peuvent atteindre plus de dix centimètres de longueur.

L'alternance naturelle du jour et de la nuit est aussi très appréciée par les graines ; inutile donc de les stresser par une exposition constante à la lumière... à moins qu'il ne faille, pour des raisons commerciales, raccourcir la durée de germination pour tenir les délais de livraison.

L'AIR

Une bonne aération apporte de l'air frais et en même temps évacue la chaleur et les gaz issus des multiples oxydations. L'aération assure aussi un certain contrôle de la température dans la masse des graines en germination.

Maintenir le bocal incliné pendant la germination permet de drainer complètement l'eau hors du bocal après les rinçages et de maintenir une plus grande pénétration de l'air dans la masse des graines.
Les répartitions des graines dans le bocal participent aussi à cette aération.

La graine c'est un embryon de plante assoupi au milieu de ses réserves alimentaires. Au contact de l'eau, de l'air et de la chaleur, l'embryon se réveille, il sort de sa dormance et commence sa croissance.
Son métabolisme, l'ensemble des activités biologiques de dégradation moléculaire (catabolisme) et de construction cellulaire (anabolisme) transforme les réserves alimentaires en nutriments utilisables pour la croissance de l'embryon.

LE TREMPAGE

L'eau pénètre dans la graine par un petit trou (micropyle) et à travers l'enveloppe qui est plus ou moins perméable. Après trempage, l'humidité passe de 10 %, dans la graine sèche, à 90 % dans la graine gonflée d'eau.
L'eau associée à l'oxygène va provoquer une réaction en chaîne : elle active des hormones de croissance (les gibbérellines) qui, à leur tour, activent l'ADN des cellules à aleurones. Ces dernières synthétisent des amylases, soit des enzymes qui cassent les réserves d'amidon en sucres plus simples, assimilables par l'embryon. Ces sucres sont prêts à s'oxyder dans les tissus pour fournir de l'énergie pour la pousse.

LA RESPIRATION

Tant que la graine n'a pas déployé ses feuilles, elle absorbe de l'oxygène et rejette du gaz carbonique.
L'oxygène permet les oxydations nécessaires aux activités métaboliques des graines. Il oxyde l'hydrogène et l'azote, pour produire de l'énergie indispensable à la fabrication de tissus vivants. Il oxyde également le carbone et produit du gaz carbonique. Ces multiples oxydations génèrent de la chaleur, appelée *chaleur végétale*.

Mais dès que les feuilles sont déployées et sont exposées à la lumière, la respiration s'inverse. La graine absorbe le gaz carbonique de l'air, fixe le carbone dans ses tissus et rejette l'oxygène.
Tous les végétaux verts participent ainsi au recyclage du gaz carbonique ; ils sont les poumons de la planète. Ils sont l'assistance respiratoire des êtres vivants ! Sans les feuilles vertes, nous ne serions même pas nés !

L'ACTIVITÉ ENZYMATIQUE

L'eau, la chaleur et l'oxygène activent et multiplient les enzymes qui deviennent alors de véritables allumeuses des réactions biochimiques. À aucun moment n'est déployée une aussi extraordinaire activité enzymatique que durant la germination. Qualifier les graines germées de pilules à enzymes est tout à fait justifié !
L'embryon ne peut pas utiliser ses réserves alimentaires (protides, lipides, glucides) stockées dans ses cotylédons. Ces réserves sont des molécules trop complexes qui doivent être cassées en leurs composés simples pour pouvoir être assimilées.
Les enzymes sont chargées de ce travail de dégradation des molécules ; elles agissent comme des catalyseurs et provoquent des réactions chimiques et biochimiques dans la matière vivante.
Les enzymes se combinent aux molécules et forment des composés instables qui explosent, libérant les différents éléments simples constitutifs de ces molécules.
L'amylase dégrade l'amidon en sucres simples, glucose et fructose. Ces sucres serviront comme carburant énergétique et comme matière première, en association avec les acides aminés, pour la construction cellulaire.

La protéase dégrade les protéines en acides aminés, qui sont destinés à la construction cellulaire.
La lipase dégrade les lipides en acides gras, qui sont utilisés pour l'étanchéité des parois cellulaires, pour la synthèse des hormones et comme source d'énergie.
Ces éléments simples, glucose, acides aminés et acides gras, appelés nutriments, sont ensuite transportés vers les points de croissance de l'embryon.
Avec les nutriments, d'autres enzymes, plus constructifs ceux-là, synthétisent de nouvelles protéines, des enzymes, des minéraux, des vitamines et des hormones.

LA PHOTOSYNTHÈSE

Dès que les feuilles apparaissent, la lumière les colore en vert et la respiration s'inverse : les feuilles absorbent le gaz carbonique de l'air et rejettent l'oxygène.
Par la magie de la photosynthèse, appelée assimilation chlorophyllienne, les feuilles transforment l'énergie solaire en glucose pour permettre la poursuite de la croissance. Croissance de la plante et du fruit, maturation des sucres, des protéines et des graisses.
C'est par le processus de la photosynthèse que l'énergie solaire s'introduit dans les grands cycles biochimiques de la vie. Cette énergie solaire est stockée sous forme de sucres plus ou moins concentrés (amidon et lipides) dans tous les végétaux et elle est restituée lors de leur oxydation dans les cellules végétales et animales.

TENEUR EN VITAMINES DE GRAINES
AVANT ET APRÈS 5 JOURS DE GERMINATION
(Teneur en mg/kg)

Espèce	Vitamine B2 (riboflavine)		Vitamine B3 (niacine)	
	Graines non germées	Graines germées	Graines non germées	Graines germées
Orge	1,3	8,3	72	129
Maïs	1,2	3,0	17	40
Avoine	0,6	12,4	11	48
Soja	2,0	9,1	27	49
Haricot de Lima	0,9	4,0	11	41
Haricot Mungo	1,2	10,0	26	70
Pois	0,7	7,3	31	32

Espèce	Vitamine B1 (thiamine)		Vitamine H (biotine)	
Orge		7,9	0,4	1,2
Maïs	6,2	5,5	0,3	0,7
Avoine	10,0	11,5	1,2	1,8
Soja	10,7	9,6	1,1	3,5
Haricot de Lima	4,5	6,2	0,1	0,4
Haricot Mungo	8,8	10,3	0,2	1,0
Pois	7,2	9,2		0,5

TENEUR EN VITAMINE B12 DE CÉRÉALES
ET DE LÉGUMINEUSES EN COURS DE GERMINATION

Espèce	Avant germination	Après 2 jours de germination	Après 4 jours de germination
Haricot Mungo	0,61	0,81	1,53
Lentille	0,43	0,42	2,37
Pois	0,36	1,27	2,36

Extrait de AUBERT (C) : *"Onze questions clefs sur l'agriculture, l'alimentation, la santé et le tiers-monde",* Terre Vivante, Paris, 1983.

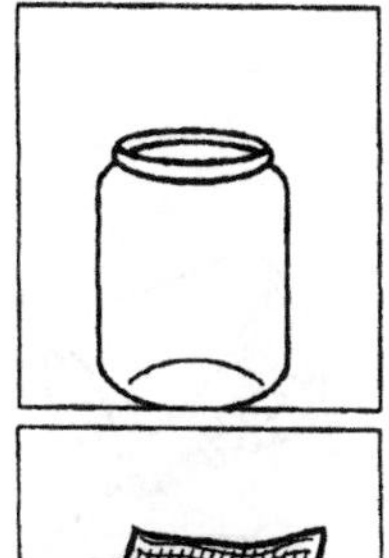

bocal en verre ou en plastique transparent, de préférence rond.
- avec une large ouverture pour faciliter la vidange du bocal et son nettoyage.

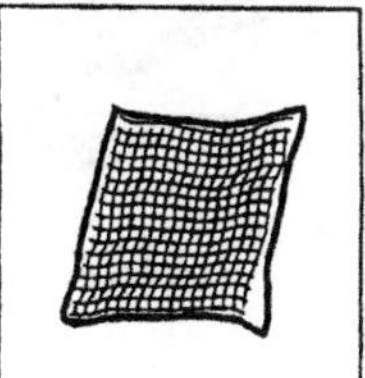

voilage pour couvrir l'ouverture du bocal et faire office de filtre.
- en matière synthétique dont la maille (1 à 2 mm) peut laisser passer l'eau et l'air.

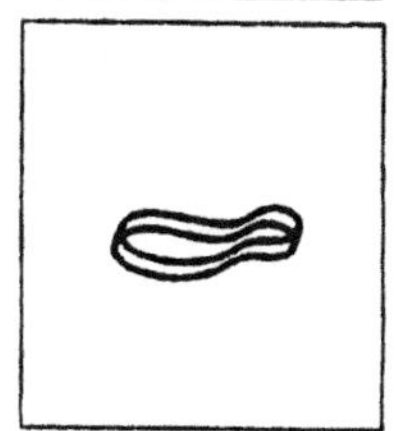

élastique, pour tenir le voilage.
- couvrir l'ouverture du bocal avec le voilage et en rabattre les bords. Passer l'élastique autour du goulot et tendre le voilage.

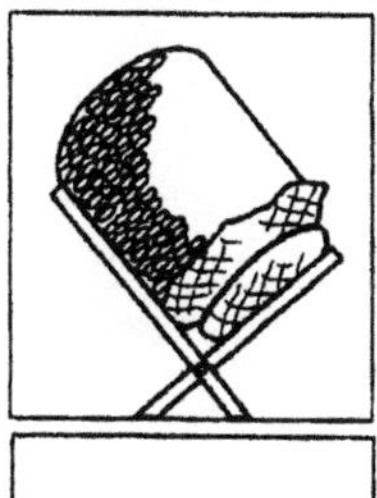

égouttoir pour tenir le bocal incliné avec ouverture vers le bas. Il permet à l'eau de s'évacuer et à l'air de pénétrer à l'intérieur du bocal.

récipient suffisamment grand et profond pour brasser et manipuler les graines.
- de préférence rond pour faciliter le nettoyage.

passoire pour récupérer les déchets : graines cassées ou qui n'ont pas germé, et les enveloppes.

laver

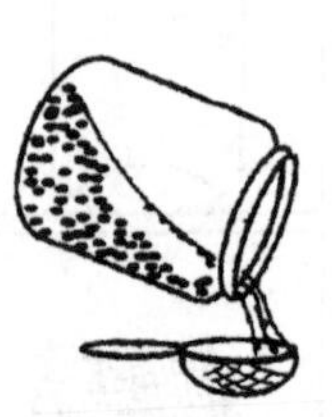

remplir verser laver reposer vider

tremper

remplir tremper vider

germer

voiler germer répartir

rincer

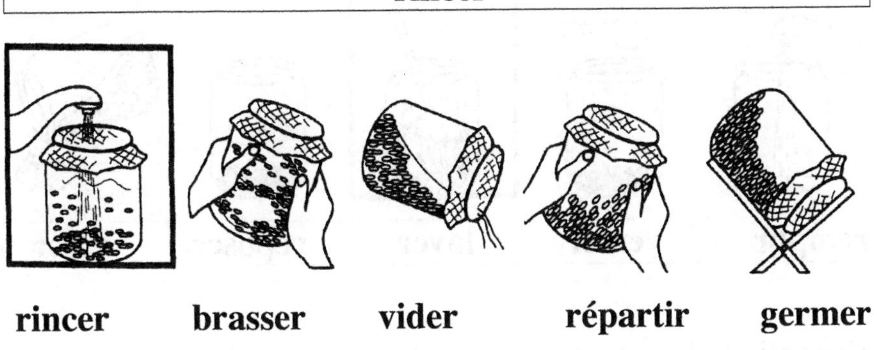

baigner

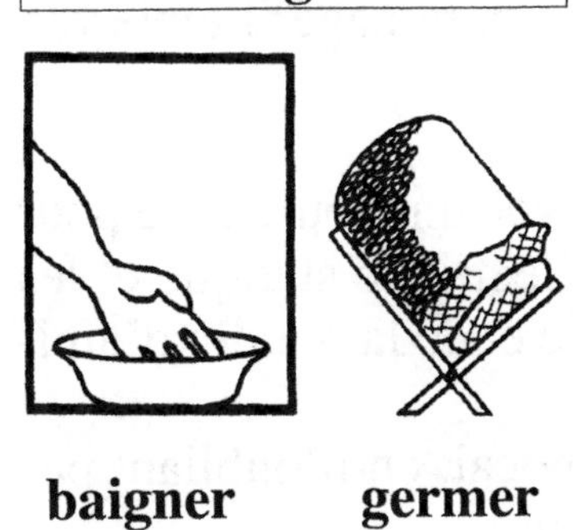

sécher

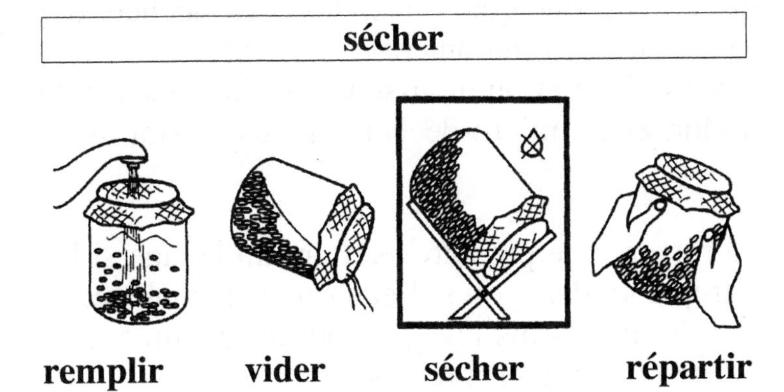

Remplir le bocal au 3/4 avec de l'eau fraîche.

Verser les graines sèches dans le bocal. L'eau amorti leur chute et évite les chocs qui peuvent endommager l'embryon et/ou les réserves alimentaires.

Laver les graines en brassant l'eau avec une fourchette pour séparer les graines agglutinées par électricité statique et les débarrasser du pollen, de la poussière et de la poudre d'amidon.
On peut éventuellement secouer le bocal, en n'oubliant pas de boucher l'ouverture avec une main !

Laisser **reposer** l'eau quelques secondes. Les déchets qui sont plus légers que l'eau remontent à la surface.
L'eau peut être troublée et/ou mousseuse par la présence de poudre d'amidon et de micro-déchets en suspension dans l'eau.

Vider l'eau à travers une passoire. Refaire un lavage si les déchets sont trop abondants ou si l'eau est trop troublée.
En règle générale, un à trois lavages sont nécessaires, tout dépend bien entendu de la propreté des graines.

LES DÉCHETS VÉGÉTAUX

Les semences peuvent contenir divers déchets visibles, tels que des brins de paille, des enveloppes, de la poudre d'amidon ainsi que des graines cassées.
Elles contiennent également des déchets invisibles tels que des micro-organismes, du pollen et un peu de poussière des champs !
Sans oublier les résidus de pesticides, fongicides et autres produits chimiques si les graines ne sont pas biologiques.

Ces déchets, s'ils ne sont pas éliminés, peuvent causer des problèmes d'oxydation, de fermentation ou de putréfaction excessifs pendant la germination. Ils peuvent diminuer la qualité des graines récoltées, leur goût et leur durée de conservation. Les problèmes provoqués par les déchets se manifestent spécialement pendant les jours de canicule et/ou quand on n'a pas correctement drainé l'eau hors du bocal après rinçage.

Les graines biologiques labellisées : *spécial germination* sont sélectionnées pour leur pouvoir germinatif élevé ; elles sont soufflées et calibrées, donc impeccables ! Toutefois, cela ne les dispense pas d'un lavage !

LAVER LES GRAINES

Laver les graines, c'est les débarrasser le mieux possible de ces déchets visibles et invisibles.
Les déchets visibles qui remontent à la surface de l'eau sont identifiables et facilement évacués.
Les déchets qui troublent l'eau s'éliminent en grande partie lors du lavage et progressivement en cours de culture, lors des rinçages.

LA PROPRETÉ DES GRAINES

Prendre l'habitude de laver au moins une fois les graines, même si elles ont l'air d'être propres et en bon état.
Cette habitude peut éviter bien des surprises désagréables, spécialement en été où non seulement la chaleur active la croissance des tissus, mais aussi les processus de fermentation et de décomposition des déchets !

Pour les graines décortiquées dont on a enlevé les enveloppes (sarrasin, tournesol), plusieurs lavages sont nécessaires car lors du décorticage, beaucoup de graines se sont cassées et ont libéré une fine poudre d'amidon qui reste collée aux graines par électricité statique.

PROPRETÉ DU MATÉRIEL

La propreté en matière de jardinage intérieur est nécessaire. Si les graines sont lavées, baignées et bien bichonnées, il ne faut pas oublier les récipients et les divers accessoires utilisés qui, eux aussi, doivent être propres !

Une graine germée d'alfalfa, séchée et collée au fond d'un bocal ou sur une fourchette que l'on va utiliser pour brasser l'eau n'est pas très recommandé !
Le lavage doit au moins enlever les déchets visibles, pour celles et ceux qui n'ont pas la *b(r)osse* du nettoyage très bien développée !

Pourtant, nul besoin de tomber dans l'obsession hygiénique car cette contrainte ne concerne que la culture industrielle, là où les exigences d'hygiène et de qualité sont très pointues et où la durée de conservation est un critère de vente déterminant.

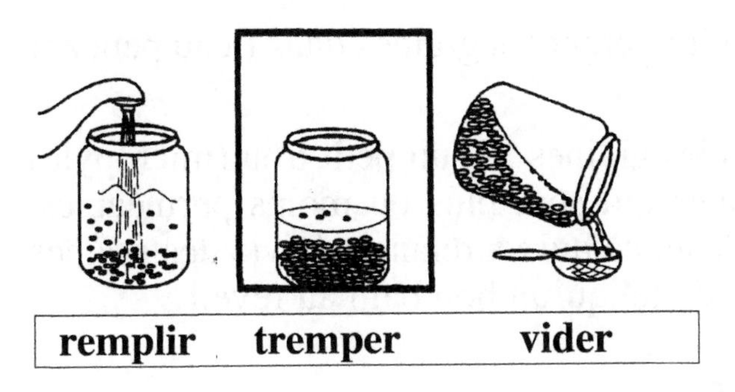

Remettre les graines lavées dans le bocal et le **remplir** avec de l'eau fraîche (tempérée en hiver, 15 à 20°C) à raison de cinq volumes d'eau pour un volume de graine.

Tremper les graines pendant quelques heures.
En général, plus les graines sont grosses, plus long sera le trempage.
Si des graines flottent en surface, brasser l'eau de temps en temps pendant le trempage, elles finiront par couler au fond du bocal.
L'eau du trempage peut être troublée ou mousseuse, voire teintée à la couleur des enveloppes, c'est normal.

Des graines comme le fenouil et le tournesol non décortiqué sont plus légères que l'eau et flottent. Comme elles restent en surface, il faut remplir d'eau le bocal à ras bord, fermer hermétiquement avec un couvercle et retourner le bocal pendant toute la durée du trempage.

Vider l'eau à travers une passoire. Les déchets et les graines qui flottent sont ainsi recueillis et évacués.
Si nécessaire, rincer plusieurs fois après le trempage, mais l'eau peut rester troublée sans que cela pose problème.

Tremper consiste à immerger les graines dans l'eau pendant quelques heures.

L'eau pénètre dans les graines par un petit trou (micropyle) et par les enveloppes qui sont plus ou moins perméables. Elles se gorgent d'eau, ce qui va relancer la vie des graines en sommeil… rien de tel qu'un bon bain au réveil !

L'EAU DU TREMPAGE

Si le trempage permet aux graines d'absorber de l'eau, il permet aussi de dissoudre et d'évacuer certaines substances indésirables comme les phytates (insecticide contenu dans les graines pour se protéger des insectes) et les hormones qui inhibent la croissance (pour éviter une germination spontanée hors saison).

Si de la mousse se forme à la surface de l'eau du trempage, elle indique une légère fermentation des amidons (sucres), occasionnée par un trempage trop long ou par trop de graines cassées.

Attention aux trempages trop longs qui peuvent asphyxier les graines et provoquer des moisissures ; et aux trempages trop courts, qui peuvent produire des avortons de graines germées !

DES GRAINES FLOTTENT

La majorité des graines coulent au fond du bocal lors du trempage ; exception faite du tournesol non décortiqué et du fenouil.

Cependant, même à la fin du trempage des graines flottent toujours. Ces graines sont à jeter avec l'eau du trempage car elles ne germeront pas.

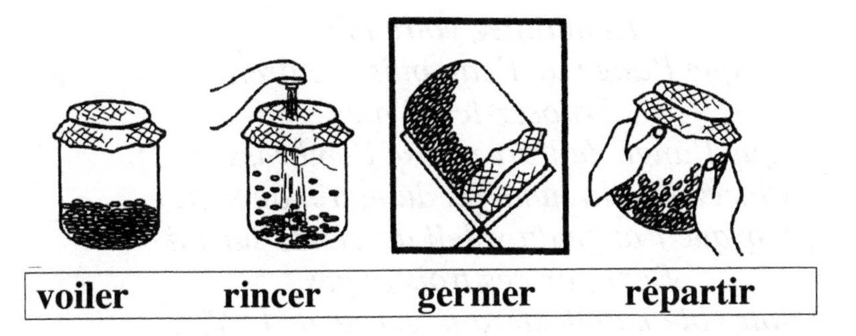

Voiler l'ouverture du bocal avec le voilage tenu et tendu par l'élastique autour de l'orifice.

Rincer à l'eau fraîche, ou tempérée, puis vider l'eau.

Faire **germer** les graines sur un support qui maintient le bocal incliné pour permettre l'évacuation complète de l'eau hors du bocal ainsi qu'à l'air de pénétrer dans le bocal.
Le bocal peut rester incliné pendant toute la germination pour bénéficier d'une plus grande surface de germination ; les graines sont ainsi moins entassées et sont bien mieux exposées à l'air et à la lumière. Mais faites attention qu'elles ne bouchent pas l'ouverture du bocal !

Répartir les graines dans le bocal.
La répartition est surtout nécessaire les trois premiers jours de la culture car les graines ont tendance à former une masse compacte où l'air pénètre difficilement et l'humidité stagne. Une aération insuffisante peut ralentir la germination, voire provoquer des moisissures !
Répartir permet une nouvelle position des graines dans le bocal (évite la masse compacte) ; détache les graines collées au bocal ; redistribue l'humidité et évacue la chaleur.
Pour décoller les graines, retourner et tapoter le bocal.

Humidifiez votre blé
que l'ange de l'eau puisse entrer.
Exposez-le à l'air
que l'ange de l'air puisse l'embrasser.
Placez-le à la lumière, du matin au soir,
pour que l'ange du soleil descende sur lui.
Béni par ces trois anges,
votre blé manifestera le germe de la Vie.

E.B. Szekely / L'évangile Essénien.

LA DANSE DES ÉLÉMENTS

Dès que les graines sont retirées de l'eau du trempage puis placées dans des conditions climatiques favorables, la respiration devient active ; les graines sortent de leur dormance et se mettent à germer.
Faire germer des graines ? Mais elles germent toutes seules !
Il suffit de maintenir l'humidité par des rinçages réguliers, d'assurer l'aération et de placer les graines au chaud pour voir, dans notre bocal, la nature dans son œuvre créatrice.
Si cela ne demande que peu de temps, il n'en faut pas moins de la régularité et de la sensibilité !

Jouer avec les éléments que sont l'eau, le feu (chaleur et lumière) et l'air en interactivité avec des graines, c'est tout un art ; heureusement vite appris.
Car il ne s'agit pas seulement d'humidifier des graines mais également de faciliter l'évacuation des déchets solides et gazeux rejetés par ces mini-plantes en pleine croissance.
Et cela, tout en maintenant un bon équilibre climatique… ce qui demande de la sensibilité.

GERMES DE GRAINES

Certaines graines sont cultivées pour leur germe. On évite de prolonger la culture jusqu'à l'apparition des feuilles car leur haute teneur en fibres rend la mastication fastidieuse. En devenant trop fibreuses, elles perdent tout leur attrait gustatif.

Ces graines : blé, courge, lentille, pois chiche, soja sarrasin, sésame et tournesol développent en deux jours un germe qui est un début de tige blanc cristallin, d'un à deux centimètres de long. Ces germes de graines sont croquants et ne demandent que peu de mastication, ce qui n'est pas pour nous déplaire !

GRAINES GERMÉES

D'autres graines sont cultivées jusqu'à la formation de leurs deux premières feuilles : alfalfa, cresson, fenouil, fenugrec, radis, moutarde ; ces graines germent en cinq jours environ. Dès l'apparition des feuilles, vers le troisième jour, ces dernières se déploient et se débarrassent progressivement de leur enveloppe devenue inutile.

La lumière entre alors en jeu pour assurer la photosynthèse et colorer de vert ces petites feuilles jaunes.

Cette coloration des feuilles permet aux graines germées d'utiliser la lumière comme source d'énergie pour construire des tissus vivants à partir des substances inorganiques qui se trouvent dans l'eau des rinçages (minéraux) et dans l'air (dioxyde de carbone).

Cette assimilation chlorophyllienne vient prendre le relais, car les graines sont arrivées au bout de leurs réserves nutritives.

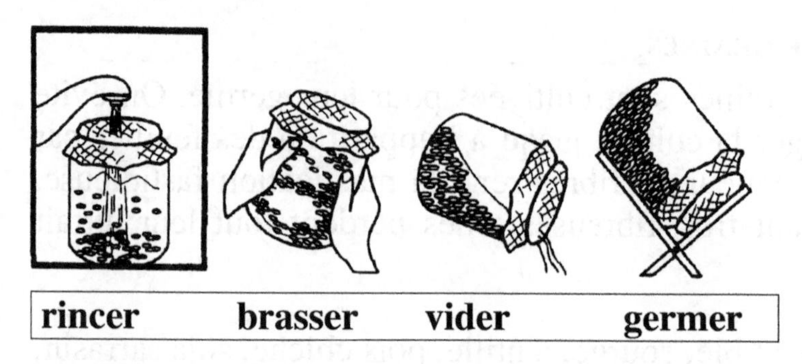

Rincer les graines avec de l'eau fraîche.
Les remous engendrés par la pression de l'eau du robinet peuvent suffire à provoquer le brassage nécessaire… mais attention toutefois à ne pas casser les tiges et/ou les feuilles par une trop forte pression !

Brasser l'eau en lui faisant subir un sens de rotation, si les remous du robinet ne suffisent pas.
Éviter un brassage trop vigoureux qui risque de casser les tiges.
Ce brassage permet de décoller et de dégager les graines du fond et des parois du bocal, car l'amidon est une vraie colle !
Laisser reposer l'eau pendant quelques secondes.

Vider l'eau du rinçage.

Germer en remettant les graines sur l'égouttoir pour évacuer (drainer) complètement l'eau hors du bocal.
Ce drainage de l'eau est une nécessité car si les graines ont besoin d'humidité, elles ont horreur de tremper dans de l'eau stagnante qui peut se transformer en un véritable bouillon de culture… de bactéries !
Cela peut arriver l'été, avec les graines germées à feuilles (alfalfa, cresson) et/ou avec un drainage incomplet.

Les réserves alimentaires dans les graines (protides, lipides et glucides) sont inutilisables par l'embryon. La germination va transformer ces réserves trop complexes en nutriments plus simples et assimilables ; respectivement acides aminés, acides gras et sucres simples, tel le glucose.
Cette activité biochimique produit des déchets sous forme de chaleur, de gaz et de résidus qui doivent être évacués.

LA NÉCESSITÉ DES RINÇAGES

Les rinçages maintiennent l'humidité et régularisent la température dans la masse des graines en germination.
Ils évacuent les gaz dus à la respiration de l'embryon et à la fermentation des résidus, tels les sucres, contenus dans les enveloppes et dans la poudre d'amidon.
Les rinçages ont également pour but d'éliminer les phytates solubles dans l'eau, qui sont des insecticides naturels fabriqués par les graines pour se protéger des prédateurs.
Les rinçages ont plus d'importance les premiers jours de la culture car les graines forment une masse très compacte qui peut surchauffer par manque d'aération.
Dès l'apparition des germes, une meilleure circulation de l'air est assurée ; la chaleur et l'humidité s'évacuent donc plus facilement à ce moment-là.

En été, un rinçage supplémentaire avec de l'eau froide peut s'avérer indispensable. Comme la chaleur active la pousse, les graines absorbent davantage d'eau.

LA RÉGULARITÉ DES RINÇAGES

La régularité des rinçages assure le bon développement des graines. Elles deviennent bien blanches, régulières, croquantes et craquantes !

Des rinçages irréguliers, ou oubliés, n'engendrent pas toujours des dégâts ; cela dépend aussi de la variété des graines, du stade de leur développement et du climat.
Mais régulariser les rinçages reste une pratique fortement conseillée puisque qu'elle conditionne la qualité.
En général avec les graines à feuilles, trois rinçages par jour sont nécessaires : le matin, à midi et le soir avant d'aller se coucher.
Avec les graines germes, deux rinçages suffisent, le matin et le soir.

LE DRAINAGE

Si les graines ont besoin d'humidité pour germer, elles ont horreur d'avoir les pieds dans l'eau !
L'eau stagnante au fond du bocal peut fermenter car elle contient toujours un peu de poudre d'amidon dissoute et des enveloppes détachées... tous les ingrédients pour provoquer une fermentation : eau, sucres (amidon et cellulose) et de la chaleur.
Il faut donc être particulièrement attentif après le trempage et les rinçages à bien évacuer l'eau hors du bocal en le laissant s'égoutter au minimum cinq minutes sur un support incliné.
Dès que le drainage est terminé, répartir les graines dans le bocal et poursuivre la germination.

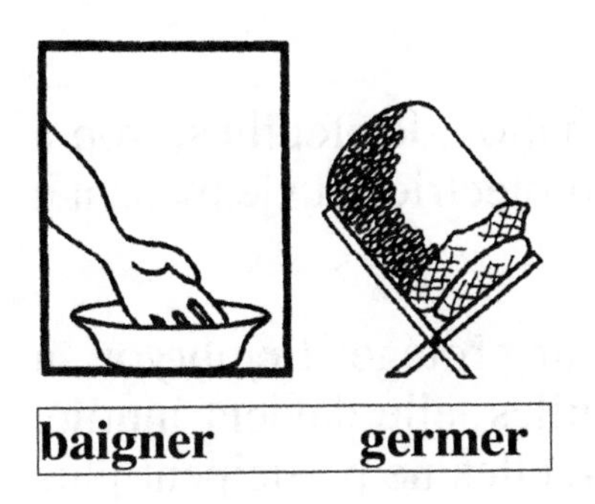

Transférer les graines du bocal dans un récipient propre et assez grand, rempli au 3/4 avec de l'eau fraîche.

Pour les graines que l'on cultive pour leur germe ou celles dont peu d'enveloppes se détachent des feuilles, le bain peut se faire dans le bocal, ou tout simplement être supprimé.

Brasser l'eau avec les doigts légèrement écartés, afin de démêler les graines et aider les enveloppes à se détacher des feuilles.

Laisser reposer l'eau.Des enveloppes flottent à la surface de l'eau, d'autres se mélangent aux graines et le reste se dépose au fond du récipient avec les graines qui n'ont pas germé.

Enlever et jeter les enveloppes qui flottent en surface.
Prélever les graines germées et les remettre dans le bocal.
Vider l'eau du bain à travers la passoire et jeter les graines qui n'ont pas germé et les enveloppes.
Si nécessaire, procéder à un deuxième bain.

Fixer le voilage sur le bocal et replacer le bocal sur son support pour la poursuite de la culture ou pour passer à l'étape du séchage.

LES ENVELOPPES

Vers le troisième jour de la germination, les feuilles, trop à l'étroit, sortent de leur enveloppe protectrice et s'exposent à la lumière.

Si l'enveloppe était nécessaire pour protéger l'embryon, à présent qu'elle se détache des feuilles, elle devient inutile. Ces enveloppes libres sont mortes, elles ne participent plus à la vie des pousses. Constituées de fibres, elles possèdent un pouvoir absorbant important. Elles se gorgent d'eau et maintiennent une forte humidité dans le bocal.
Si l'on ne prend pas de précautions en cours de culture, ces enveloppes fermentent et se décomposent lentement.
Tant que la quantité des enveloppes libres n'excède pas 60 % et que l'on répartit régulièrement les graines dans le bocal pour redistribuer l'humidité et faciliter l'évaporation, pas de problème de fermentation excessive. La culture est sous contrôle !

À noter que toutes les graines ne se *désenveloppent* pas. Les graines cultivées pour leur germe (soja, lentille) n'ont pas assez de temps pour déployer leurs feuilles, les enveloppes y restent attachées.

UN BAIN... BIENVENU

Dès que la quantité des enveloppes détachées devient supérieure à 60 %, l'humidité au sein de la masse des graines en germination augmente fortement. Répartir les graines peut ne plus suffire, et dans ce cas, un bain est nécessaire.
Le bain est une étape obligée pour la culture des graines germées à feuilles. Il permet d'évacuer 90 % des enveloppes libres ainsi que les graines qui n'ont pas germé.

En général, un bain est suffisant dans le cycle de la culture. Il s'effectue juste avant la consommation ou juste avant l'étape du séchage.
En été ou dans les pays chauds, un bain supplémentaire peut s'avérer indispensable vers le quatrième jour car la chaleur active considérablement la pousse, mais aussi la fermentation des enveloppes !

DES GRAINES GERMÉES IMPECCABLES

Il est incontestable que les graines qui sont débarassées de leur enveloppe sont meilleures, car elles n'ont pas ce goût terreux caractéristique des téguments !
Le *désenveloppage* produit des graines plus croquantes, des tiges plus blanches et des feuilles plus vertes car elles ont été davantage exposées à la lumière.
Le *désenveloppage* produit des graines qui se conservent plus longtemps et beaucoup mieux, et qui restent fraîches, vivantes et croquantes même après une semaine au frigo.

Pour les graines germes (sauf le soja) : lentille, pois chiche, sarrasin et tournesol décortiqués, les enveloppes n'altèrent ni le goût ni la texture, elles passent inaperçues. À noter que les enveloppes sont comestibles, elles apportent du ballast, des fibres salutaires pour l'intestin.

Les enveloppes du soja, par contre, sont plus coriaces pour les personnes aux intestins fragiles ; elles risquent de créer des ballonnements désagréables. Mieux vaut les passer cinq minutes à la vapeur pour les ramollir… en attendant que les intestins se soient réhabitués aux fibres.

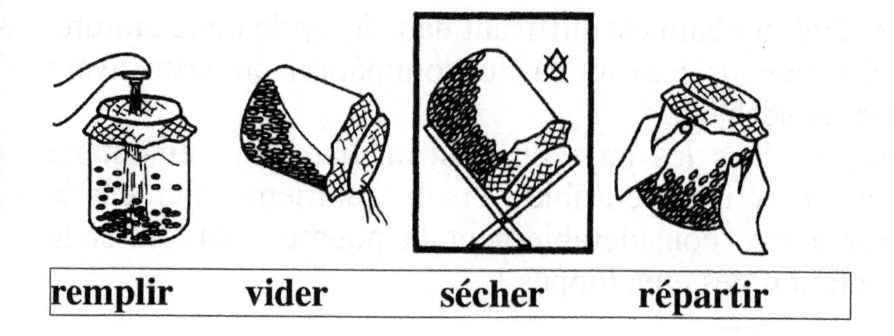

Remplir le bocal avec de l'eau tempérée, 20 à 25 °C, pour mettre les graines à la température propice à la germination. Rincer à l'eau froide va ralentir la pousse et prolonger la durée du séchage, ce qui n'est pas souhaitable.

Vider l'eau.

Sécher en remettant le bocal sur l'égouttoir et ne plus rincer. La germination se poursuit ; les graines absorbent petit à petit l'eau apportée par le dernier rinçage.
Après quelques heures, les graines se sont *essuyées* toutes seules, naturellement ! Elles sont légèrement humides mais pas mouillées.
Ne pas prolonger plus que nécessaire le séchage, car sécher ne veut pas dire déshydrater !

Répartir de temps en temps en cours de séchage les graines dans le bocal pour redistribuer l'humidité et faciliter son évaporation.
La répartition évite aussi que les graines situées aux abords de l'ouverture du bocal ne s'assèchent.

Disposer de graines germées prêtes à l'emploi est possible car comme toutes les salades, elles se conservent très bien au frigo, pour autant que l'on ait pris soin de les sécher avant de les emballer.

LA TECHNIQUE DU SÉCHAGE/ESSUYAGE

Il serait possible d'essorer les graines, comme cela se fait avec les feuilles de salade, mais avec le risque de casser les tiges et pour un résultat peu satisfaisant.
L'essuyage peut se faire d'une façon bien plus efficace, plus simple et plus naturelle.

En poussant, les graines absorbent l'eau apportée par les rinçages. Il suffit de ne plus rincer pour qu'elles s'essuient toutes seules ! Les graines doivent cependant rester humides mais pas mouillées. Elles ne doivent laisser qu'une trace d'humidité sur les mains qui les manipulent et non pas des gouttelettes d'eau.

La majorité des graines nécessite plusieurs répartitions en cours de séchage. Ces répartitions des graines dans le bocal vont faciliter la distribution et l'évaporation de l'humidité ainsi que l'évacuation de la chaleur.

En cours de séchage, les graines germes retiennent plus de chaleur que les graines à feuilles car elles forment une masse plus compacte où l'air circule plus difficilement. Ces graines auront davantage besoin d'aération.

LES CONDITIONS DU SÉCHAGE

La durée du séchage ainsi que la durée de conservation des graines germées au frigo dépend de la variété des graines ainsi que de la qualité récoltée !

Sécher les graines germes est facile car les embryons de tiges sont petits et ont moins de chance de se casser, et les enveloppes sont pratiquement inexistantes.

Par contre, sécher les graines germées à feuilles est bien plus délicat. Une grande quantité de graines dont les tiges sont cassées, ainsi qu'une grande quantité d'enveloppes retiennent beaucoup d'humidité dans la masse des graines. Plus il y a de tiges cassées et d'enveloppes libres, plus long et délicat sera le séchage.

Assoiffer les graines en prolongeant le séchage ne sera pas d'une grande utilité, si ce n'est de faire apparaître des fermentations pas très recommandées.

Si le séchage demande beaucoup plus de temps que celui indiqué pour chaque graine, consommez rapidement les graines car si le séchage a pris tant de temps, c'est que la qualité de la culture n'est pas satisfaisante !

POUR RÉUSSIR LE SÉCHAGE

- répartitions régulières en cours de germination pour aider les graines à s'affranchir de leur enveloppe.
- délicatesse avec les graines pour éviter de les casser.
- du soin… donné au bain.
- quelques répartitions en cours de séchage pour faciliter l'évaporation de l'humidité.

LA DANSE DES ÉLÉMENTS

La terre, l'eau, le feu et l'air, qui à l'échelle planétaire créent les climats, la végétation et tous les organismes vivants, sont les mêmes éléments qui, dans notre bocal, créent un microclimat et des mini-végétaux.
Toutefois, il y a une différence de taille ; nous manipulons ces éléments. Créer un climat dans un bocal est autrement bien plus facile que la maîtrise de la météo !

Les exigences de culture ne sont pas toujours toutes réunies pour faire germer des graines.
Les conditions climatiques extérieures peuvent varier et nos manipulations s'avérer parfois maladroites.
Avec un peu de pratique, on peut toujours compenser un des éléments par un autre et ainsi récupérer des graines en mauvaise situation… culturelle !

JOUER AVEC LES ÉLÉMENTS

Si le climat est lourd et humide, rincer moins souvent et répartir plus fréquemment les graines dans le bocal.
S'il fait trop sec, rincer davantage.
S'il fait trop chaud, rincer avec de l'eau froide, sans oublier de répartir plus régulièrement les graines dans le bocal.
S'il fait trop froid, rincer moins souvent et/ou avec de l'eau tempérée, 20 et 25 °C.

S'il y a trop de luminosité, placer les graines dans une armoire de la cuisine ou les recouvrir d'un tissu.
S'il fait trop sombre, exposer les graines à la lumière d'une ampoule électrique, en respectant toutefois le jour et la nuit.
Si les graines sentent le foin, à cause d'une fermentation trop importante, répartir plus souvent et/ou baignez-les.

LA COULEUR

Les germes et les tiges doivent être blancs, d'un blanc nacré et les feuilles bien vertes.
La décoloration des germes et/ou des tiges indique que les graines ont été mal lavées ou tout simplement que le bocal n'était pas propre. Attention à la propreté !
Des germes ou des tiges brunies proviennent des enveloppes qui n'ont pas été évacuées assez tôt en cours de culture. Ces enveloppes brunes ont maintenu une forte humidité que les graines ont absorbé, d'où leur coloration !
Le manque de répartition des graines dans le bocal peut aussi contribuer à cette coloration.
Les taches de rouille (oxydation) sur les feuilles indiquent une trop grande humidité en cours de culture, veiller à répartir plus souvent ou diminuer les rinçages.

LES ENVELOPPES

Les enveloppes qui sont encore attachées aux feuilles après le bain ne posent pas de problème, mais il vaut mieux qu'il y en ait le moins possible. Le goût et la conservation des graines n'en seront que meilleurs.
S'il y a trop d'enveloppes attachées aux feuilles, c'est que la pousse n'a pas été régulière, que les répartitions en cours de germination n'ont pas été suffisantes, que les graines ont manqué de lumière les derniers jours de culture ou plus simplement, que le bain a été baclé. Si les enveloppes sont comestibles, elles n'ont pas vraiment bon goût !

LA TEXTURE

Pour obtenir la meilleure texture, il faut éviter de casser les tiges lors des rinçages ou des répartitions lorsqu'on manipule le bocal.

Si les graines sont flasques, c'est qu'elles contiennent trop d'eau. La température de culture n'a pas été respectée (en général trop froid) l'aération insuffisante ou les rinçages trop fréquents.
Les graines dont les tiges sont cassées ne poussent plus et peuvent se décomposer, surtout pendant la saison d'été ou par grand froid.
Donc, pour diminuer la casse, manipuler le bocal avec délicatesse et rincer sans trop de remous !

L'ODEUR

Les graines germées ont une odeur peu prononcée.
Si elles sentent un peu le foin, cela indique la fermentation des enveloppes qu'elles contiennent… en trop grande quantité. Dans ce cas, consommer rapidement et un bain est recommandé avant de les manger, pour autant que l'odeur de foin ait complètement disparu !

Si une odeur d'ammoniaque se manifeste, elle indique une décomposition des protéines ; les graines sont en train de pourrir ! Ce problème de pourriture concerne généralement les graines riches en protéines, comme le pois chiche, et peut survenir quand les conditions climatiques sont extrêmes ; en général trop chaud ou trop froid, ou quand les drainages de l'eau après les rinçages sont incomplets.
En cas de pourriture, jeter les graines et désinfecter le bocal avec de l'eau de javel ou du vinaigre.

LE GOÛT

Les graines de radis ont bien le goût de radis et celles de moutarde, le goût de moutarde… à ne pas s'y tromper et à s'en délecter !

Mais trop d'enveloppes libres, trop d'enveloppes détachées des feuilles et qui n'ont pas été enlevées lors du lavage, peuvent altérer la saveur et leur donner un goût légèrement terreux.

SAVOIR APPRÉCIER LA QUALITÉ

La qualité de la récolte dépend principalement :
- de la régularité de nos interventions.
- de notre sensibilité à fournir ce qu'il faut et quand il faut pour accompagner la pousse.

Les pousses de qualité sont belles à voir : leur tige est blanche, nacrée, brillante, soyeuse et leurs feuilles d'un vert émeraude ou vert bouteille. Elles sont croquantes et de bien bon goût.
Apprécier c'est voir, sentir, toucher et manger… alors, bon appétit !

SAVOIR APPRÉCIER LA QUANTITÉ

Dans le gland se cache toute la forêt… et dans la graine ?
Les graines germées avec feuilles sont luxuriantes. Petites au départ, ces graines prennent du volume jusqu'à septante fois, en germant ! Le poids, lui, se multiplie par dix.
Un bocal d'un litre est nécessaire pour cultiver ces graines à feuilles : une cuillère à soupe de graines sèches d'alfalfa donnera environ entre 500 g et un kilo de graines germées.
Les graines *germes* (sans feuilles) sont moins luxuriantes, elles restent des germes, des embryons de plantes. Le volume et le poids augmentent beaucoup moins, de trois à cinq fois, c'est donc plus facile de se représenter la récolte !
Un bocal plus petit qu'un litre fera l'affaire.
Pour les graines que l'on fait juste tremper et que l'on mange dès le trempage terminé, le volume double, environ.

LE FROID CONSERVE

Les graines germées supportent bien des séjours plus ou moins prolongés dans le frigo. Tant mieux, car comme tous les agriculteurs, nous sommes confrontés à devoir stocker et conserver la récolte !

Certaines variétés de graines se conservent mieux que d'autres. Les grosses graines, comme la lentille et le pois chiche contiennent environ 65 % d'eau. Ces graines sont faciles à cultiver et elles se gardent facilement une semaine au frigo, voire plus.

Toutes les graines germées avec feuilles, comme l'alfalfa et le radis, contiennent jusqu'à 90 % d'eau, ce qui les rend plus délicates à cultiver et plus difficiles à conserver.

La conservation dépend aussi de la qualité de la récolte.
Si elle est de bonne qualité, avec des graines suffisamment essuyées, des tiges blanches ainsi que peu d'enveloppes libres et peu de tiges cassées, les graines resteront fraîches pendant plusieurs jours, voire plusieurs semaines.

L'EMBALLAGE

Placer les graines dans un sachet en plastique alimentaire, qu'on peut fermer, et muni de quelques trous (d'épingle) d'aération. Attention à ne pas compresser le sachet afin d'éviter la casse !
Tout autre récipient avec fermeture fera aussi l'affaire (pour autant que les graines puissent respirer).
Ne jamais laisser un emballage ouvert, car les graines vont sécher.

ODEUR DE FERMENTATION

Si après quelques jours au frigo une odeur de foin apparaît dans le sachet, il faut baigner les graines et les consommer rapidement, pour autant que leur goût n'en soit pas altéré. Cette odeur de fermentation provient des graines qui ont été emballées trop humides et/ou de la fermentation des enveloppes libres qui se trouvent en trop grande quantité.
Comme les enveloppes sont constituées principalement de cellulose, qui est un sucre, elles fermentent !
Si les graines deviennent flasques, les tiges décolorées ou brunes, les feuilles oxydées et qui perdent de leur éclat… le produit n'est plus de toute première fraîcheur !

ODEUR DE DÉCOMPOSITION

Une odeur de pourriture indique une décomposition bien visible des protéines ; les tiges deviennent brunes et/ou translucides.
Dès que ce processus de putréfaction s'est enclenché, les tissus se décomposent et peuvent même se liquéfier, comme cela peut arriver avec les graines d'alfalfa qui contiennent jusqu'à 90 % d'eau. L'odeur en est alors pestilentielle et il ne viendrait à personne l'idée de les consommer !
Cette liquéfaction ne peut survenir qu'avec les graines à feuilles emballées beaucoup trop humides, contenant trop d'enveloppes et dont la qualité de récolte est mauvaise.
Cela peut aussi arriver avec les graines mises dans un frigo trop froid. Gelées, puis dégelées, ces graines sont immangeables.

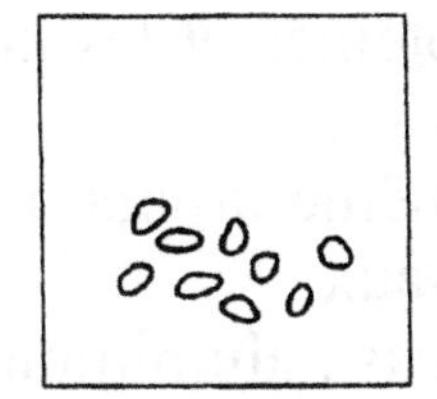

L'alfalfa (de l'arabe : fourrage vert) est cultivée depuis plus de 3000 ans par les Iraniens. Pour rendre hommage à cette plante qui fit la renommée de leurs chevaux sur les champs de course du monde entier, ils la surnommèrent : le Père de toutes nourritures. Cette plante fourragère, plus connue en Occident sous le nom de luzerne, est aussi largement utilisée dans l'agriculture pour régénérer les sols.

DU FOURRAGE... À LA GRAINE GERMÉE

Du fourrage pour le bétail à la graine germée, il fallait oser ! Pensez donc, faire manger de l'herbe aux humains !

Et pourtant, le pas fut franchi par les Américains pendant la Seconde Guerre mondiale pour remplacer les protéines animales trop chères. La guerre terminée, l'alfalfa passa dans le domaine public et se retrouva, en l'espace de quelques années, dans tous les super marchés du pays.

Aucune graine n'a fait l'objet d'autant d'analyses que l'alfalfa (excepté, peut-être, le soja). Aucun aliment ne fait le poids face à cette graine germée pourtant si fine et si fragile !

PRINCIPAUX CONSTITUANTS

L'alfalfa est très riche en protéines, vitamines, minéraux, oligoéléments, enzymes, fibres et bien d'autres substances biologiques actives connues : phytonutriments, antioxydants et inconnues !

L'alfalfa contient 20 % de protéines et les huit acides aminés essentiels sont tous présents [1].
Toutes les vitamines sont là, même la vitamine K, que l'on trouve rarement dans les végétaux.
Et les minéraux ne manquent pas : aluminium, fer, calcium, magnésium, manganèse, potassium, silicone, sodium et soufre (voir page 174).
L'alfalfa contient trois fois plus de calcium, de magnésium, de potassium et de fer que les épinards... n'en déplaise à Popeye !

Les feuilles vertes d'alfalfa sont une excellente source de chlorophylle (purificateur du sang et du foie) et contiennent les huit principaux enzymes nécessaires à la digestion :
Protéase (digestion des protéines) ; lipase (lipides) ; amylase (amidon) ; émulsine (sucre) ; invertase (*invertit* le sucrose en glucose et fructose, et le sucre de canne en dextrose) ; péroxydase (oxydant du sang) ; pectinase (gel qui aide à la digestion) et coagulase (digestion du lait).

POUR NOTRE SANTÉ

Dans l'intestin, les fibres d'alfalfa agissent comme un filet dans lequel viennent se faire entraîner vers la sortie les acides gras (graisses) et la bile excédentaires.
Il a été constaté que le plantix (un pigment de l'alfalfa) réduisait les effets toxiques des médicaments.
Ces propriétés inhibitrices ont aussi été remarquées avec les additifs chimiques qui conservent nos aliments [2].

1. Protein in Food. Kuppuswamy. Indian Concil of Medical Research. New Dehli. 1958.
2. L'énergie du cru. Leslie et Susannah Kenton. Éditions Jouvence.

laver 2 à 3 fois.

- bien brasser car les graines collent les unes aux autres par électricité statique.
- l'eau du lavage est généralement un peu mousseuse et colorée.

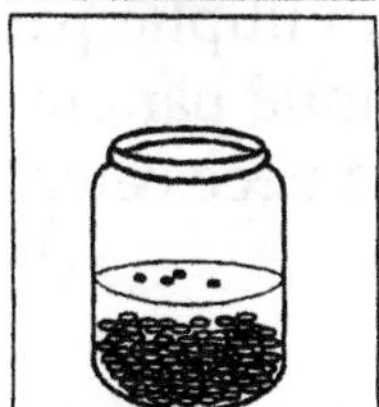

tremper 4 à 6 heures.

- brasser une fois en cours de trempage car certains micropyles (trou par lequel pénètre l'eau dans la graine) sont bouchés.
- rincer plusieurs fois après le trempage.

germer 5 à 6 jours.

- répartir en cours de germination pour aérer la masse des graines, et dès l'apparition des feuilles, pour mieux les exposer à la lumière.

rincer 2 à 3 fois par jour.

- l'alfalfa est très délicat ; attention à ne pas casser les tiges en rinçant par une trop forte pression de l'eau du robinet.
- drainage soigné après le rinçage.

baigner 1 à 2 fois.

- baigner juste avant le séchage.
- deux bains peuvent s'avérer nécessaires, en cas de forte chaleur d'été.

sécher 6 à 10 heures.

- répartir l'alfalfa en cours de séchage car les tiges fines peuvent s'assécher, surtout celles situées vers l'ouverture du bocal.

La culture de l'alfalfa est délicate. Les tiges longues et fines sont fragiles, elles peuvent se casser et/ou sécher.
Il sera difficile d'éviter d'en casser quelques-unes mais cela doit rester dans des proportions acceptables.
Malgré leur petite taille, les graines produisent une récolte luxuriante. Si le poids des graines s'en trouve multiplié par dix en fin de culture, le volume, lui, s'est multiplié par cinquante ! Une cuillère à soupe remplie à ras bord nécessitera un bocal d'une contenance d'un litre minimum.

MOT CLÉ... RÉPARTIR

La répartition des graines dans le bocal est l'action clé pour la culture de l'alfalfa.
Pendant les trois premiers jours, la répartition évite que les graines ne s'étouffent ; et les trois derniers jours, elle évite que les tiges ne s'assèchent. La répartition permet aussi l'exposition maximale des feuilles à la lumière.
Les rinçages doivent être réguliers et à l'eau fraîche, matin, midi et soir.
Après chaque rinçage, laisser drainer l'eau hors du bocal pendant quelques minutes avant de répartir les graines.
Un bain, voire deux en été, permet d'enlever les graines qui n'ont pas germé ainsi que les enveloppes libres. Toutefois, il reste toujours des graines enveloppées ; mais avec un peu de pratique, ce pourcentage diminuera.
Pour le séchage, rassembler les graines pour éviter que les tiges ne s'assèchent.

L'ALFALFA MÉLANGÉE

On peut mélanger l'alfalfa avec du cresson, de la moutarde ou de la roquette. Mélangées à l'alfalfa, ces graines ne vont pas s'agglomérer, ce qui permet leur culture en bocal.

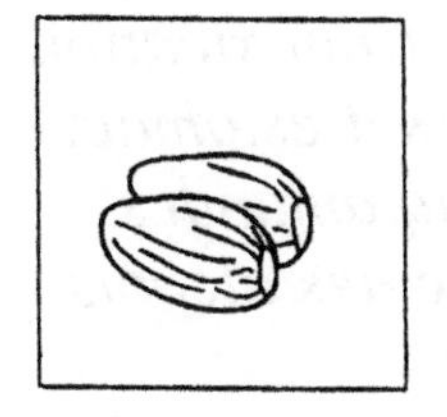 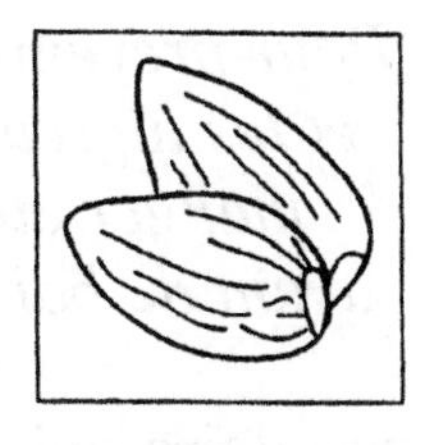

Je dis à l'amandier :
"Frère, parle-moi de Dieu"
et l'amandier fleurit.

St. François d'Assise.

Originaire d'Iran, l'amande est cultivée depuis des siècles autour du bassin méditerranéen, Maroc et Afrique du nord notamment.

PRINCIPAUX CONSTITUANTS

Une profusion de graisses (55 %), des sucres (20 %) et aussi des protéines (20 %) avec les huit acides aminés essentiels, en proportion équilibrée : certains ont prétendu que l'amande était la nourriture des Dieux !
Cette double richesse en huile (qui est du sucre concentré) et en sucres pourvoit l'amande d'un pouvoir calorifique très élevé : 600 cal/100 g… une bombe énergétique !
Comme les protéines sont aussi présentes, l'amande peut couvrir, en théorie, toutes les dépenses énergétiques (sucres) et plastiques (acides aminés) de l'organisme.
On reproche aux amandes leur richesse en calories et leur propension à faire grossir, mais on oublie trop souvent que les amandes grillées, salées et confites sont dénaturées !
Les effets ne sont pas les mêmes avec des amandes qui ont été trempées dans l'eau et qui ont triplé de volume : c'est trois fois moins concentré et on en mange trois fois moins !

Pour prévenir l'intoxication
et les aigreurs d'estomac,
manger cinq amandes
avant de boire des alcools.

Cette pratique populaire qui nous vient de Perse est encore et toujours d'actualité à l'heure de l'apéritif. Cette coutume (quoique dénaturée, car les amandes sont grillées et salées) atteste du bien-fondé de cette médecine ancestrale.
En Perse, l'amande était la bonne à tout faire thérapeutique. Elle était recommandée contre la dysenterie, l'insomnie, les maux de tête et pour enrichir le lait des femmes.
On la conseillait également, à raison de six amandes par jour, pour lutter contre les ulcères gastriques.

Grâce au Pr. Julius J. Kleeberg de l'Hôpital Municipal de Haïfa (Israël), on sait aujourd'hui que l'huile contenue dans les amandes se dépose en une fine pellicule protectrice sur la paroi de l'estomac… un pansement gastrique on ne peut plus naturel !

L'amande est une excellente source de calcium (un calmant naturel) ; de phosphore (un fortifiant des os) et de potassium (un reconstituant des nerfs).
Elle contient également du magnésium (recommandé pour le cœur et la pression artérielle) ; du fer (antianémique) ; du zinc et du cuivre.

L'amande stimule le cerveau, les nerfs et le développement musculaire. Pour se refaire une santé physique et psychique, pourquoi pas quelques amandes ? En période d'examens, ça peut aider !

laver 1 à 2 fois.

- utiliser les amandes non émondées, celles avec les enveloppes brunes.
- les graines cassées ne germent pas, les manger après le trempage.

tremper 8 à 12 h.

- les amandes peuvent se manger dès le trempage terminé.
- bien rincer après le trempage.

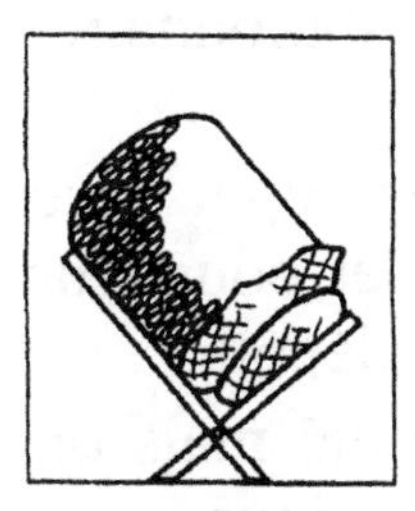

germer 1 à 3 jours.

- l'amande aime la chaleur, placer le bocal dans un endroit chaud de la cuisine.
- la germination se remarque par un grossissement généralisé de la graine.

rincer 1 à 2 fois par jour.

- pour humidifier, mais aussi pour laver le bocal. Pour cela, le remplir au 3/4 d'eau, boucher l'ouverture et imprimer un sens de rotation.

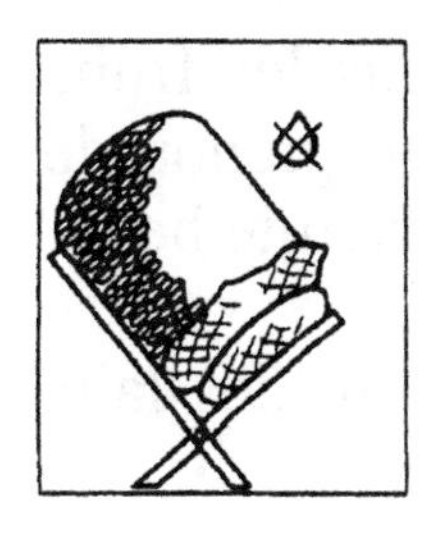

sécher 8 à 12 h.

- les amandes ne se conservent pas bien au frigo. Comme la consommation est possible dès le trempage terminé, il est inutile d'en faire des réserves.

TREMPER, DÉSENVELOPPER ET MANGER

On ne fait pas à proprement parler germer les amandes car la germination demanderait non seulement des mois mais également des conditions de culture difficilement reproductibles dans notre bocal !

Le but de la culture est de réhydrater les graines pour les consommer sous une forme moins concentrée, plus tendre et donc plus digeste.

Pour la germination, utiliser les amandes vendues avec leur enveloppe brune car les amandes émondées (celles dont on a enlevé ces enveloppes brunes) vont s'oxyder trop vite et rancir.

La culture des amandes est d'une simplicité enfantine :

Après le trempage, le poids double et reste stationnaire, même après trois jours de germination.

Bien rincer les graines pour laver le bocal des dépôts que les enveloppes ne tarderont pas de provoquer et pour leur faire changer de position… ce qui limitera ces dépôts.

On peut les consommer dès le trempage terminé mais on peut aussi prolonger la culture pendant quelques jours pour obtenir un goût légèrement acidulé.

Avant de consommer, enlever les enveloppes brunes (écaler) car elles contiennent des pesticides (dont l'acide phytique) ; la saveur n'en sera que plus onctueuse.

LES AUTRES NOIX

La réhydratation des amandes ainsi que de tous les fruits secs oléagineux : noix, noisettes, noix de cajou, pignon de pin, tournesol décortiqué, est une pratique qui facilite beaucoup la mastication et donc la digestion.

Elle facilite aussi leur broyage en vue d'en faire des laits végétaux d'une très grande valeur nutritive.

Triticum vulgare / graminée **le blé**

La culture des céréales débuta en Irak, il y a environ 11000 ans, dans les immenses plaines alluvionnaires du Tigre et de l'Euphrate.
Le blé fut parmi les premières graines cultivées. Sa culture s'étendit progressivement autour de la Méditerranée, puis sur tous les continents. Comme il pousse facilement sous tous les climats, il est cultivé dans le monde entier. Il est le premier produit alimentaire mondial, avant le riz et le soja (Asie), le maïs (Amérique du Sud) et le millet (Afrique).

PRINCIPAUX CONSTITUANTS

Certains prétendent que le blé germé peut couvrir jusqu'à 85 % des besoins alimentaires ; mais de là à se nourrir que de blé !
Les protéines du blé germé sont complètes, les huit acides aminés essentiels s'y trouvent relativement bien équilibrés, en proportion similaire à ceux trouvés dans la viande. Cet équilibre aminé, plus des sucres en quantité, sont les raisons de sa popularité (voir graphique p. 200).

GERMINATION ET NUTRIMENTS

Le grain de blé est principalement formé d'amidon, un sucre complexe inassimilable. Cet amidon est constitué d'un enchaînement de molécules de glucose.
La germination déchaîne (dégrade) ces grosses molécules et libère le glucose, sucre assimilable par l'embryon (voir p. 38).

La germination provoque une importante augmentation de la lysine, un acide aminé essentiel dont les céréales sont généralement dépourvues.
On trouve aussi dans le blé germé des composés nucléiques (ADN et ARN), nécessaires à la synthèse des protéines.
Après cinq jours de germination, la multiplication des vitamines est remarquable : la vitamine A augmente de 225 % ; B1 de 20 % ; B2 de 300 % ; B3 de 10 à 25 % ; B5 de 40 à 50 % ; B6 de 200 % ; D et E de 300 % [1] !
La vitamine C, que l'on trouve sous forme de trace dans le grain de blé, est multipliée par 600 après quelques jours de germination, le rendant en cela aussi riche que les agrumes (oranges, pamplemousse et citron) [2].
Le blé germé est également riche en minéraux (2 %) dont : le fer, calcium, magnésium et phosphore ainsi que des oligoéléments (voir p. 158).

POUR NOTRE SANTÉ

Le blé germé est un excellent reconstituant. Il revitalise tout l'organisme, tonifie la musculature, le cœur et les artères ; il stimule la circulation sanguine et fortifie le système immunitaire.
Il est également recommandé aux asthéniques, anémiques et surmenés, pour son pouvoir revitalisant ; et aux personnes déminéralisées, aux femmes enceintes et allaitantes pour sa richesse minérale.

1. Waltz Institut für Ernahrung, Swissenshaftgissen 1982.
2. Dr. C. Bailey. University of Minnesota.

laver 1 à 3 fois.

- bien brasser car le blé peut contenir des déchets végétaux et de la poudre d'amidon.

tremper 6 à 8 h.

- augmenter la durée du trempage si les graines proviennent d'un pays froid car ce climat les a pourvues d'enveloppes plus épaisses.

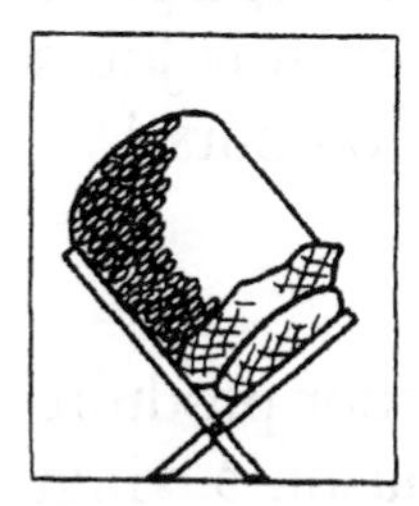

germer 2 à 3 jours.

- répartir en cours de germination pour limiter l'entremêlement des racines.
- ne pas prolonger la culture au-delà de trois jours ; les germes seraient trop fibreux.

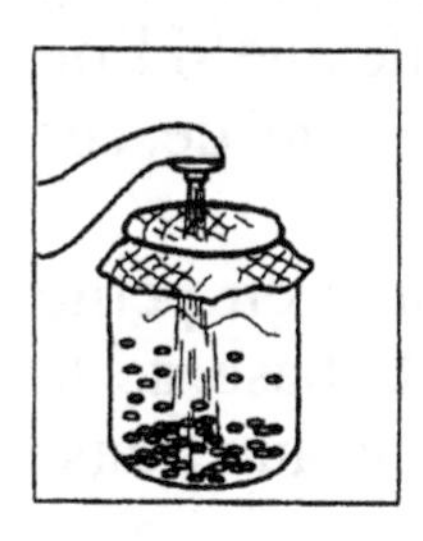

rincer 1 à 2 fois par jour.

- chaque germe développe plusieurs ramifications de racines. Rincer sert autant à démêler qu'à laver et à humidifier les germes.

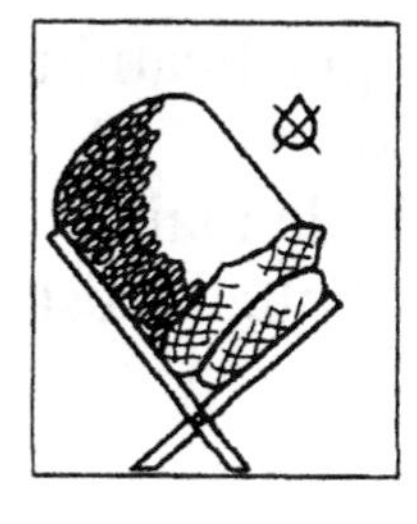

sécher 8 à 12 h.

- répartir les germes pendant le séchage.
- même mal séché, le blé germé se conserve très bien au frigo. Le froid ne stoppe pas la croissance, il la ralentit seulement !

La culture du blé est facile ; elle demande un minimum de travail et de savoir faire. Le blé germe même quand les conditions de culture sont insatisfaisantes ! On peut oublier un rinçage qu'il ne s'en portera pas plus mal, si ce n'est que les racines vont s'entremêler plus facilement.
Après deux ou trois jours de germination, le germe est assez développé (1 cm de longueur) : il est prêt à être mangé.
Une culture prolongée au-delà de trois jours n'est pas souhaitable car les racines vont se développer au détriment des germes.
Cette prolifération des racines rend la mastication laborieuse et ennuyeuse.
Il est conseillé de ne produire que la quantité désirée et de n'en conserver que de petites quantités, pendant trois jours maximum, au frigo… car les racines poussent toujours !

LE BLÉ EN POUSSES

On peut aussi faire germer du blé sur plateau pour produire des pousses dont la longueur peut atteindre jusqu'à vingt centimètres ! Cette méthode de culture n'est utile que si l'on veut en tirer du jus de chlorophylle par pressage de ces longues tiges vertes.
Ce jus de chlorophylle vert que l'on consomme en petite quantité (2 ml) et de préférence à jeun est à la base de la nutrithérapie pratiquée dans les centres Hippocrate aux États-Unis.
Le jus de chlorophylle est le meilleur agent de purification et de désintoxication du sang que l'on connaisse.
C'est un élixir de jouvence recherché et à portée de main… très active toutefois ! Là, les bocaux ne suffisent plus, c'est un véritable jardin sur plateau dont il s'agit !

 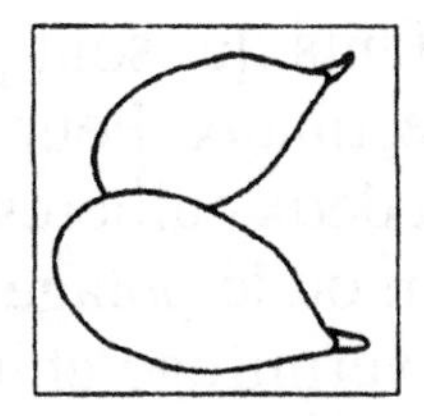

La courge, avec le maïs et les haricots secs, formaient la base alimentaire des habitants d'Amérique centrale.
C'est au Mexique que l'on découvrit les premières traces de sa consommation, vieille de 7000 ans. Elle fut et reste un aliment de base d'Amérique centrale.

PRINCIPAUX CONSTITUANTS

La courge contient 30 % de protéines complètes et elle est, avec le blé, le fenugrec, le tournesol et le soja, la graine la plus riche en protéines.
Elle est également bien pourvue en huile, 50 % du poids sec.
Elle est aussi riche en phosphore, fer, calcium et sodium, et contient également un peu de zinc, cuivre et magnésium.
La courge est très riche en bêtacarotène (précurseur de la vitamine A, un des trois plus importants antioxydants avec les vitamines C et E), ainsi que des vitamines B, C et E.

POUR NOTRE SANTÉ

La renommée de la graine de courge pour expulser les vers intestinaux n'est plus à faire ; c'est une merveille de la pharmacopée naturelle.
Tous les troubles intestinaux : parasites, ballonnements, gaz et putréfactions ne résistent pas à son action. On pourrait lui attribuer la médaille d'or de la salubrité pour son effet salutaire contre les fermentations intestinales… et malodorantes !

Ce sont les enfants qui sont principalement sujets aux vers et parasites intestinaux. Pour eux, rien de plus facile que de mélanger une à deux cuillères à soupe de ces graines dans le muësli du matin ou le potage du soir.
Nul besoin de vermifuge chimique et ses inévitables effets secondaires quand on a, à portée de main, pareille merveille !

Les propriétés curatives de la courge ne s'arrêtent pas à ces seuls effets carminatifs, loin s'en faut.
Pour les Slaves, la courge est la graine de la prostate (glande qui stocke le sperme) car elle contient des hormones qui la fortifient. Elle est considérée comme étant un excellent remède naturel contre l'impuissance… et par extension, on lui attribua des vertus aphrodisiaques !
Les problèmes de prostate rencontrés chez les hommes vers la cinquantaine peuvent être prévenus par la consommation régulière de graines de courge.
Pour les désordres urinaires, comme l'incontinence et les insuffisances rénales, elle est un *draineur* inégalé.
La courge contient une importante quantité d'antioxydants, ces substances qui neutralisent les radicaux libres et qui sont les précurseurs du vieillissement.
Les graines de courges sont de puissants sédatifs (calment la douleur) ; émollientes (réduisent les inflammations) ; pectorales (soulagent bronches et poumons) ; laxatives (purgent l'intestin) et diurétiques (favorisent l'émission d'urine).

La courge est un super aliment, très bien équilibré dans ses apports en sucres, protéines et graisses. Quelques graines suffisent pour enrichir n'importe quel plat et les réduire en purée est une bonne façon d'en consommer régulièrement.

laver 1 à 3 fois.

- enlever les graines cassées ainsi que les graines décolorées.

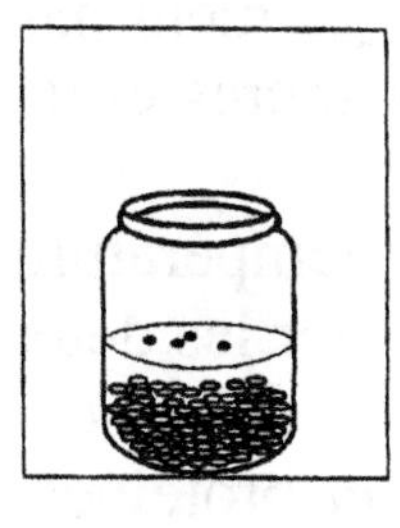

tremper 6 à 8 h.

- bien rincer après le trempage.
- les graines peuvent être consommées dès le trempage terminé.

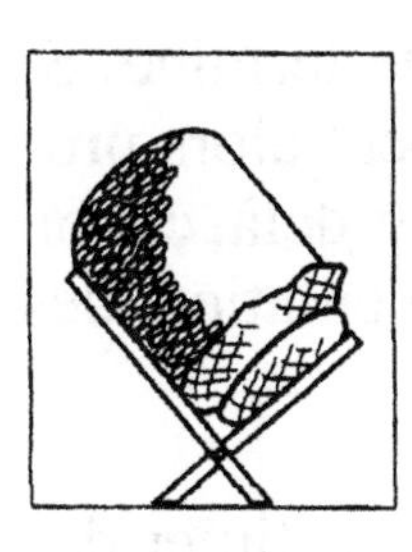

germer 1 à 3 jours.

- répartir en cours de culture pour éviter une trop longue stagnation des graines au même endroit dans le bocal.

rincer 1 à 2 fois par jour.

- les rinçages sont nécessaires pour humidifier les graines, mais aussi et surtout pour laver les dépôts d'amidon sur les parois du bocal.

Les graines de courge sont délicates, car il y a toujours une quantité non négligeable de graines qui cassent lors du décorticage industriel.
Etant riches en graisses, elles s'oxydent facilement à l'air libre ; elles deviennent rances et se décolorent. Il vaut donc mieux les conserver au frigo dans un emballage fermé.

DANGER... FERMENTATION ET PUTRÉFACTION

En cours de culture, enlever les graines qui ne germent pas pour éviter les problèmes de fermentation des sucres et de putréfaction des protéines.
La courge n'aime pas germer au froid car si la température de la cuisine est trop basse, on ne pourra pas éviter les deux dangers qui la guettent : fermentation et putréfaction. Cela est dû à leur teneur élevée en sucres, graisses et protéines. Les rinçages servent davantage à laver le bocal des dépôts d'amidon qu'à humidifier les graines.
La courge peut se consommer dès le trempage terminé. Si l'on apprécie le goût légèrement acidulé, on peut alors prolonger la culture pendant trois jours, mais pas au-delà, car on risque d'être à nouveau confronté à la fermentation des graines.

Comme la culture est rapide, il est inutile de constituer des réserves, et la courge ne se conserve pas très bien au frigo.

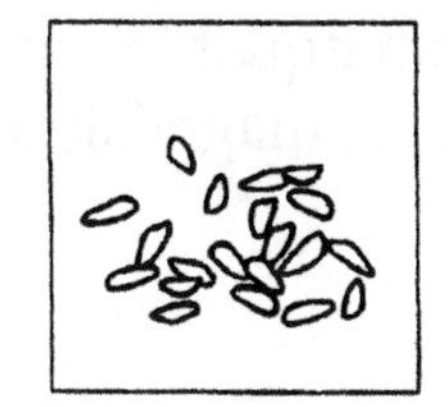

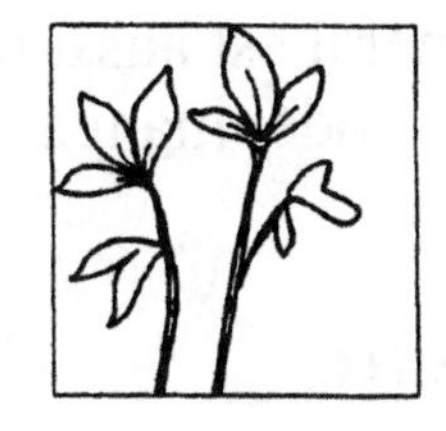

Dans la graine de cresson, l'embryon occupe toute la place, il n'y a pas d'albumen (amidon) et la radicule recourbée se trouve logée dans un des cotylédons. La teneur en glucides, lipides et protides est donc négligeable.
Ses propriétés sont plutôt condimentaires et thérapeutiques, par ses multiples essences volatiles et sa grande richesse minérale et vitaminique.

PRINCIPAUX CONSTITUANTS

Dans la famille des graines aromatiques, le cresson détient la palme d'or pour son contenu minéral, vitaminé et ses dérivés soufrés. Ces dérivés font du cresson un aliment/médicament remarquable, comme toutes les autres graines aromatiques d'ailleurs. Ce sont des aliments au service de la santé… d'où leur nom d'alicaments !
Le cresson est très riche en fer, en vitamine C et en huiles essentielles sulfurées (soufre) et phosphoriques (phosphore). Il contient une quantité élevée de bêtacarotène (provitamine A), ainsi que les vitamines B1, B2, B5, B9, D, PP et E.

Pour couvrir les besoins journaliers en vitamine C, 750 g de salade verte sont nécessaires alors que 100 g de cresson font l'affaire ! Mais la comparaison ne s'arrête pas là : le cresson contient trois fois plus de vitamines B1, B2, B3 et bêtacarotène ; deux fois plus de potassium ; dix fois plus de calcium et quatre fois plus de fer que la meilleure des salades vertes !

Le contenu minéral est aussi remarquable : arsenic, calcium, chrome, cuivre, iode, manganèse, magnésium, potassium et zinc.

POUR NOTRE SANTÉ

Depuis des siècles, le cresson est réputé pour ses propriétés condimentaires et médicinales.
On connaît depuis très longtemps les effets antiseptiques (destructeurs des bactéries pathogènes) du soufre au niveau du système digestif : foie, intestin et vésicule biliaire.
Le cresson contient également des substances antibiotiques qui inhibent la prolifération des bactéries au niveau des voies respiratoires.
Le cresson draine le foie (favorise l'élimination des déchets métaboliques) ; les reins (dissout les calculs) et les bronches (liquéfie le mucus).
C'est un reconstituant et un reminéralisant remarquable par sa grande richesse minérale.
Le cresson, par son importante richesse en bêtacarotène, est très efficace pour prévenir les maladies cardiovasculaires et le vieillissement.
Il est apéritif (stimule les glandes olfactives) ; tonique, anti-anémique (par sa richesse en fer) ; antiscorbutique (vitamine C), diurétique (favorise l'émission urinaire) ; stomachique (facilite la digestion) ; expectorant (facilite l'évacuation du mucus au niveau des bronches) ; dépuratif (purifie l'organisme) ; vermifuge (provoque l'expulsion des vers intestinaux) et sudorifique (augmente la transpiration).

Cette famille des crucifères (chou, cresson, radis) dont les fleurs à quatre pétales sont disposées en croix, œuvrent au salut… de notre santé !

pas de lavage

- le lavage est inutile car dès que les graines sont mises dans l'eau, elles forment un gel impossible à nettoyer.

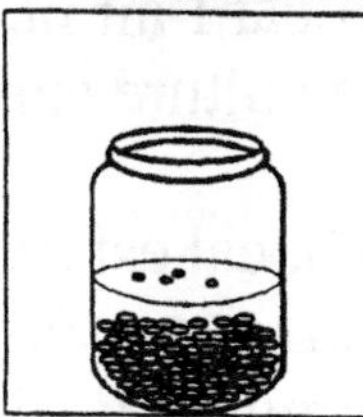

tremper 2 minutes.

- comme le cresson est cultivé mélangé à d'autres graines, ajoutez-le juste à la fin du trempage des graines avec lesquelles il sera cultivé et bien brasser.

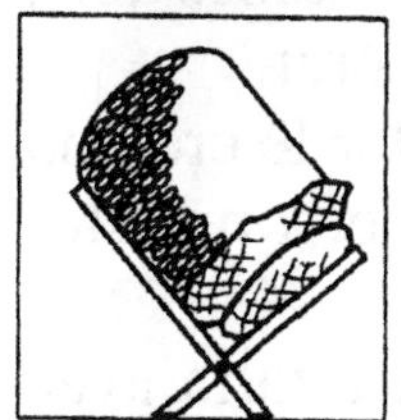

germer 4 à 6 jours.

- répartir régulièrement les graines en cours de germination pour redistribuer l'humidité et faciliter son évaporation, car le mucilage retient beaucoup d'eau.

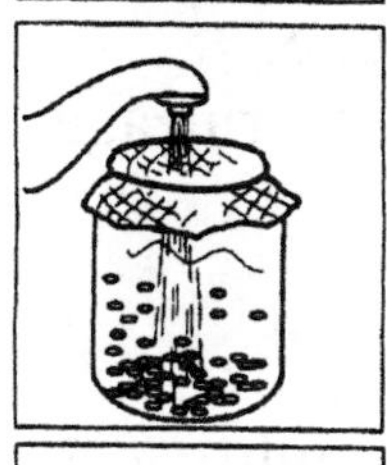

rincer 1 à 2 fois par jour.

- par son pouvoir de rétention d'eau, le cresson nécessite peu de rinçages.
- bien évacuer l'eau après les rinçages.

baigner 1 à 2 fois.

- les graines germées sont fragiles, agir avec doigté et délicatesse.
- les enveloppes fermentent très facilement, enlevez-en le maximum.

sécher 6 à 8 h.

- bien répartir pendant le séchage car les feuilles peuvent s'oxyder et les enveloppes libres fermenter.

Le cresson (avec la roquette et la moutarde) est une graine mucilagineuse qui une fois trempée, s'entoure d'un gel qui forme une masse compacte et collante. Ce gel provient des enveloppes dont les fibres solubles absorbent une grande quantité d'eau.
Le cresson, seul, ne peut pas se cultiver en bocal car l'air ne pénètre pas dans cette masse gélatineuse. Seule la culture sur plateau permet de l'étaler et d'assurer l'aération.
La seule possibilité de faire germer du cresson en bocal est de l'associer avec une autre graine, comme l'alfalfa. Il formera, au maximum, 20 % de la quantité cultivée ; les graines ainsi mélangées à l'alfalfa ne pourront pas s'agglomérer.
Juste avant la fin du trempage de l'alfalfa ajouter le cresson dans l'eau du trempage et mélanger. Attendre deux minutes puis vider l'eau.
La suite de la culture s'effectue comme pour l'alfalfa avec toutefois une durée de séchage un peu plus longue.
Comme le cresson retient beaucoup d'eau, deux rinçages journaliers devraient suffire.

LE CRESSON EN POUSSES

La germination sur plateau (en bac) permet de cultiver du cresson sans avoir recours à l'alfalfa. Tremper les graines deux minutes dans un peu d'eau et les répartir sur une seule couche dans le bac de germination.
Avec le germoir Biosnaky Germinator, l'arrosage se fait par inondation des bacs puis évacuation du trop-plein d'eau.
On peut aussi étaler les graines sur un plateau et le placer les trois premiers jours de germination dans un sachet en plastique noir et troué, pour maintenir l'humidité (micro-climat). Dès l'apparition des germes, vers le quatrième jour, enlever le plastique et vaporiser deux fois par jour.

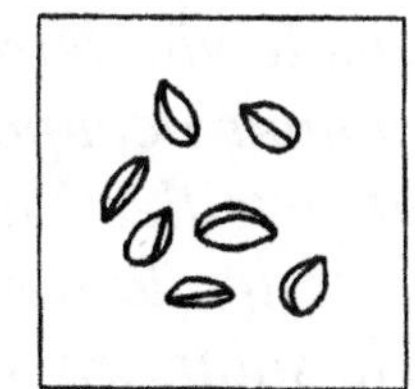

Le fenouil (latin : *fenum*, fin, car les feuilles ressemblent à de l'herbe) est une des plus vieilles plantes médicinales connues.
Les graines de fenouil, avec l'anis, le carvi et la coriandre étaient à la base d'une infusion carminative très en vogue dans l'Antiquité : l'infusion des *quatre semences* ; une préparation majeure des anciennes pharmacopées.
Les racines de fenouil, de l'ache, de l'asperge, du persil et du fragon petit houx, composaient une tisane non moins célèbre : la tisane des *cinq racines*, un diurétique réputé et toujours en usage actuellement.

PRINCIPAUX CONSTITUANTS

Ne contenant pas ou peu de principes nutritifs, si ce n'est un peu de sucre, le fenouil n'est pas un aliment nourricier ; son usage dans l'alimentation est principalement aromatique donc condimentaire et médicinal.

Le principe actif et aromatique du fenouil provient d'une très forte concentration d'huiles essentielles, dont l'anéthol (goût sucré) et la fénone (amer), ainsi que des dérivés terpéniques qui, tous, ont des effets salutaires sur la santé.
Le fenouil est riche en vitamines A, B1, B2, B3, B8, B9 et C.
Il est riche également en minéraux divers, dont le calcium, fer, magnésium, phosphore et potassium.

La graine du fenouil, dans le vin détrempée,
excite une âme à l'amour occupée.
Du vieillard rajeuni sait réveiller l'ardeur,
du foie et des poumons dissipe la douleur ;
de la semence encore le salutaire usage
bannit de l'intestin le vent qui fait rage.

Cet éloge qui date du Moyen Âge n'est pas usurpé et pour preuve : les multiples tisanes à base de graines de fenouil que l'on trouve toujours chez les droguistes.
Les graines de fenouil sont très recherchées car elles agissent sur un éventail très large de pathologies. Elles possèdent les propriétés médicinales communes aux ombellifères, soit : des vertus carminatives (expulsion des gaz intestinaux) et diurétiques (facilite l'émission urinaire).

Les graines de fenouil participent à de nombreux remèdes pour combattre les maladies pulmonaires, les troubles de la digestion (maux d'estomac et des intestins, ballonnements, flatulences), ainsi que les rhumatismes, la migraine et le vertige.
Le fenouil est un excellent tonique des voies digestives ; il est apéritif (ouvre l'appétit) ; vermifuge (provoque l'expulsion des vers intestinaux) et antiputride (évite les putréfactions intestinales).

Le fenouil est la graine des femmes : il est galactogène (il augmente la lactation et évite les engorgements de lait) ; emménagogue (favorise l'écoulement menstruel et combat les douleurs qui y sont liées) et il atténue efficacement tous les troubles qui accompagnent la ménopause, comme les maux de tête et les brusques montées de chaleur.

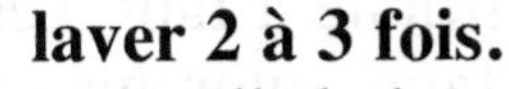

laver 2 à 3 fois.

- remplir le bocal à moitié d'eau, verser les graines, brasser, laisser reposer et récupérer les graines dans une passoire.

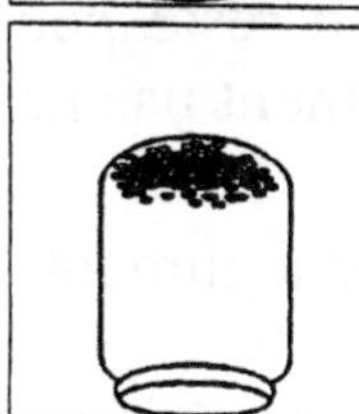

tremper 6 à 8 h.

- comme les graines de fenouil sont plus légères que l'eau, mettre les graines dans le bocal, remplir d'eau jusqu'à raz bord, fermer le bocal et retournez-le.

germer 6 à 8 jours.

- la germination du fenouil étant délicate, surveiller l'humidité et l'aération.
- bien répartir en cours de germination et assurer un drainage soigné.

rincer 1 fois par jour.

- rincer dès l'apparition des germes, vers le 4e jour. Si les graines germent mal, espacer ou supprimer les rinçages.

baigner 1 fois.

- le bain est surtout destiné à enlever les graines qui n'ont pas germé et qui se déposent au fond du récipient.

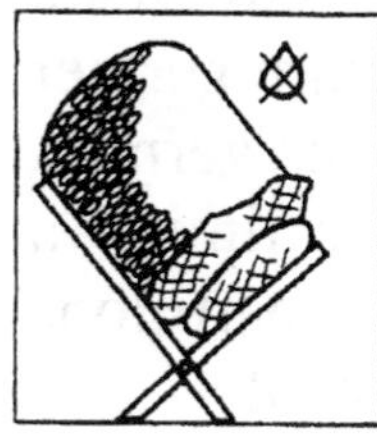

sécher 8 à 12 h.

- le fenouil est fragile car les tiges sont très fines et se dessèchent rapidement, attention aux courants d'air.
- bien répartir en cours de séchage.

Le fenouil est une graine difficile à faire germer et il peut s'avérer nécessaire de lui faire subir un choc thermique pour le sortir de sa dormance ! C'est pour cette raison qu'il est souhaitable de le conserver au frigo ou au moins de lui faire passer la nuit précédant la culture, au froid. Mais même avec ce choc thermique, le taux de germination reste peu élevé, de l'ordre de 80 % (les graines qui ne germent pas ne vont pas pour autant gêner la culture).

Le trempage peut se faire dans l'eau tiède car les téguments sont assez épais.

En cours de culture les téguments peuvent colorer les tiges si les graines sont trop mouillées, ou mal aérées ou pas assez drainées après les rinçages. Dans ce cas, on peut diminuer les rinçages et répartir plus souvent les graines dans le bocal !

Tant que les germes n'apparaissent pas, il ne faut pas rincer. Il suffit seulement de répartir une à deux fois par jour les graines dans le bocal pour redistribuer l'humidité.

Vers le quatrième jour les germes apparaissent et c'est à ce moment-là qu'on peut commencer à rincer, à raison d'une fois par jour, ou tous les deux jours.

Tout l'art en matière de germination du fenouil réside dans les rinçages : rincer juste ce qu'il faut et quand il faut ! Il vous faudra peut-être deux cultures pour vous familiariser avec ses besoins.

Le fenouil germé peut atteindre dix centimètres de long et les enveloppes restent attachées aux feuilles. Il se cultive en général mélangé avec de l'alfalfa. Dans ce cas, faire germer le fenouil et adjoindre l'alfalfa dès l'apparition des germes, vers le quatrième jour. Les rinçages pourront se limiter à deux par jour (matin et soir), sans oublier les répartitions régulières pour redistribuer l'humidité dans le bocal.

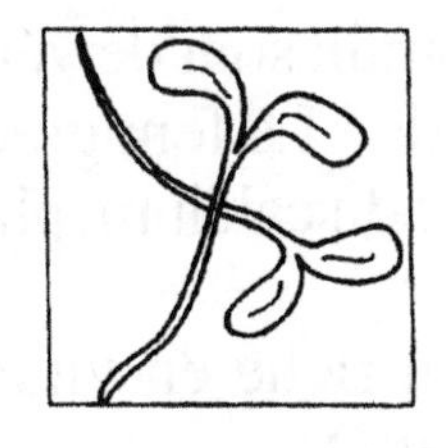

La plante de fenugrec est très appréciée par les agriculteurs pour faire engraisser rapidement le bétail. Ses bienfaits ne profitent pas seulement aux animaux puisque les Égyptiens l'utilisaient pour donner de l'embonpoint et les Romains en faisaient manger aux gladiateurs pour leur faire prendre du poids et de la force.
Il ne faut pas croire que ces pratiques sont tombées dans l'oubli : aujourd'hui encore, la phytothérapie prescrit de la poudre de fenugrec pour fortifier les convalescents, les sous-vitalisés ou donner du poids aux chétifs.

PRINCIPAUX CONSTITUANTS

Pour qu'un aliment soit reconnu comme un reconstituant majeur, il faut qu'il contienne en quantité appréciable (10 %) les deux principes nutritionnels que sont les protéines et les sucres.
Les protéines pour construire des tissus et des muscles, et les sucres pour fournir l'énergie nécessaire à cette construction cellulaire.
Par sa teneur élevée en protéines (29 %) et en glucides (57 %), le fenugrec germé répond bien à ces deux exigences ; seules les graines oléagineuses font mieux par l'apport en lipides (20 à 60 %).
Le fenugrec contient 5 % de lipides et 29 % de fibres sous forme mucilagineuse, bien plus digestes que la lignine, une fibre dure, contenue dans les légumineuses.

La plante et le grain sont de véritables concentrés de fer à faire pâlir les épinards ! Le fenugrec germé contient aussi d'autres minéraux, dont : du calcium, phosphore, potassium, fer, sodium et soufre.
Il est également riche en vitamines A, B1, B2, B3, B5, B6, B8, B12, C, J et D.
Il est également bien pourvu en lysine et méthionine, deux acides aminés essentiels.

POUR NOTRE SANTÉ

Outre ses remarquables propriétés fortifiantes, le fenugrec est également un excellent régulateur de la digestion.
Son mucilage (fibres solubles gélatineuses) piège les acides biliaires dans l'intestin et les évacue dans les selles, réduisant ainsi le taux de cholestérol sanguin.
Le fenugrec contient également des phytonutriments, dont la saponine (lat : *saponis*, savon) qui a la propriété de faire mousser l'eau. La mousse créée dans les intestins enrobe les graisses et les élimine par les selles.
Le fenugrec germé décongestionne le système digestif et le système respiratoire en liquéfiant les dépôts de mucus qui tapissent les muqueuses (glandes à mucus) de l'estomac, de l'intestin et des poumons.
C'est un puissant purificateur du sang et des reins, un super nettoyant du foie et de la vésicule biliaire.
Le fenugrec est un excellent tonique (il combat l'anémie par la multiplication des globules rouges du sang) ; il est aussi remarquable pour les troubles hépatiques et rénaux et pour la régulation de la glycémie (taux de sucre dans le sang).
Comme le soja, le fenugrec contient de la lécithine, cette substance qui émulsifie les graisses du sang, limitant ainsi leur dépôt sur les parois des artères… et l'artériosclérose !

laver 1 à 3 fois.

- même après plusieurs lavages, l'eau reste toujours un peu mousseuse et colorée de la couleur des téguments, mais cela ne gêne pas la culture.

tremper 8 à 12 h.

- rincer abondamment après le trempage, toujours pour cette même décoloration des téguments.

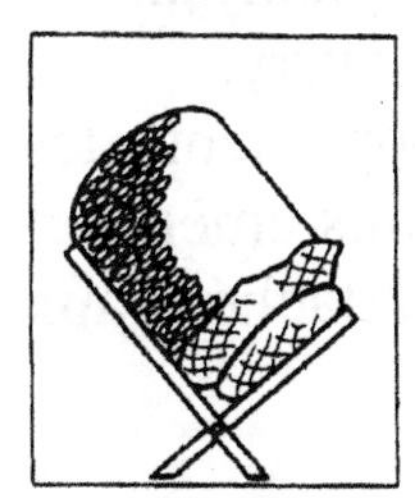

germer 3 à 5 jours.

- on peut consommer les germes dès le troisième jour de germination.
- prolonger la culture jusqu'à la formation des feuilles est possible.

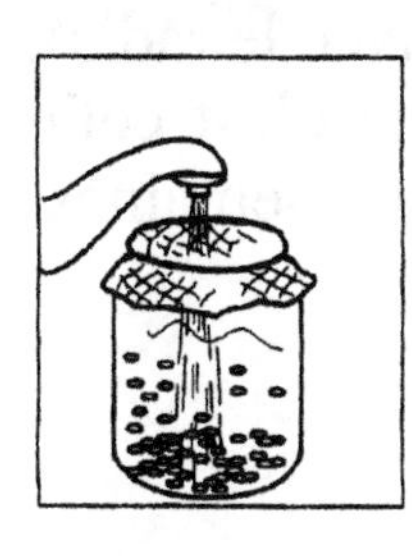

rincer 3 à 4 fois par jour.

- attention à la surchauffe, spécialement les premiers jours de la culture ou en été.
- rincer avec de l'eau froide car la pousse est rapide et volumineuse.

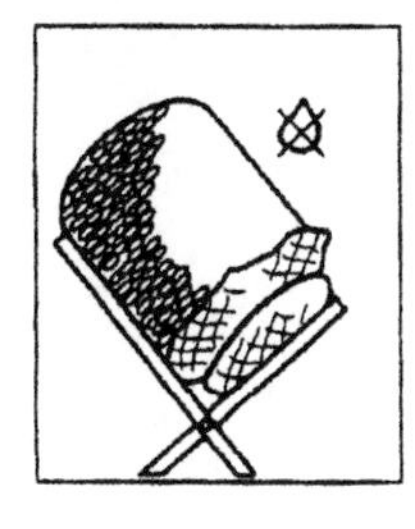

sécher 6 à 8 h.

- la majorité des enveloppes sont attachées aux feuilles, les germes sèchent donc plus facilement et rapidement.
- répartir en cours de séchage.

Le fenugrec est une graine très facile à faire germer. Le taux de germination est élevé (pratiquement toutes les graines germent) et la pousse est régulière.
Les conditions climatiques (eau, chaleur, aération) peuvent ne pas être optimales que cela ne changera pas grand-chose à la pousse. Sa renommée de graine de force n'est pas usurpée car cela se retrouve même dans sa culture !

On peut cultiver le fenugrec uniquement pour son germe ou prolonger la culture jusqu'au développement des feuilles, à choix.
Après deux ou trois jours de germination, le germe atteint deux à trois centimètres de longueur. Il est croquant, juteux et légèrement amer, avec une légère saveur de curry.
En prolongeant la culture jusqu'au développement des feuilles, on obtient des graines germées bien plus amères et plus fibreuses. Comme les enveloppes restent attachées aux feuilles, le bain est superflu.

Le fenugrec germé est la plus longue pousse (avec le radis), la plus vigoureuse par l'épaisseur de sa tige et c'est celle qui se conserve le plus longtemps au frigo, deux semaines, voire plus.

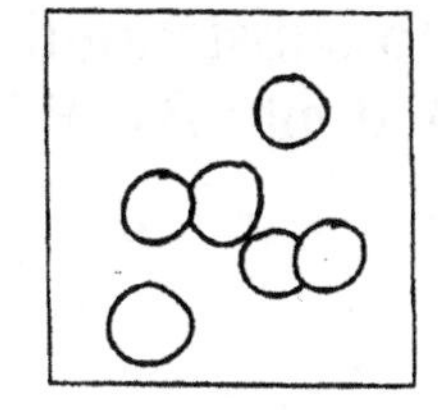
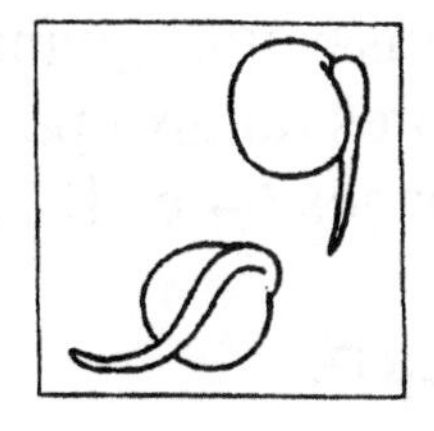

Originaire d'Asie centrale, la culture de la lentille est très ancienne. La Bible en fait déjà mention quand, pour un plat de lentilles, Esaü vendit à Jacob son droit d'aînesse ! Fallait-il vraiment les apprécier ou était-ce dû à la disette ?
La lentille fait partie de l'histoire du Moyen Orient. C'est la légumineuse qui résiste le mieux aux variations climatiques rapides et parfois extrêmes, ainsi qu'au manque d'eau de ces pays. Les plantes de lentilles nécessitent peu de soins, peu d'eau et elles se satisfont d'un sol relativement pauvre. Cette facilité de culture se retrouve aussi avec les graines germées. On peut oublier un rinçage qu'elles ne s'en portent pas plus mal !

PRINCIPAUX CONSTITUANTS

Comme toutes les légumineuses, la lentille est extrêmement riche en amidon, 60 % et en protéines, 25 %.
Par la quantité et la qualité de ses protéines, complètes, la lentille germée peut remplacer avantageusement la viande. Comme elle a l'avantage d'être bien meilleur marché que cette dernière, on l'a surnommée la *viande du pauvre* !
La lentille germée est une des meilleures sources de fer (son goût poivré) avec la viande, les œufs, les céréales et les graines oléagineuses. Son taux d'absorption intestinal est élevé car le fer y est chélaté (associé à d'autres substances).
La lentille est riche en cuivre, calcium, magnésium, sodium, manganèse, phosphore, zinc et potassium.

Elle contient aussi une quantité substantielle de vitamines A, ainsi que celles du groupe B, dont : B1, B2, B3, B6, B12, C et E [1] (voir pages 64 et 182).

POUR NOTRE SANTÉ

La profusion de protéines et de sucres font de la lentille un aliment reconstituant et énergétique de premier choix.
Elle est recommandée pour les anémiques, les sportifs et les travailleurs de force.
La lentille est la plus digeste des légumineuses car elle ne contient pas d'oligosaccharides, ces sucres responsables des gaz intestinaux.

Les lentilles germées sont des pilules de fer, de véritables graines antianémiques.
L'anémie *ferriprive* (privé de fer) affecte principalement les femmes par les pertes répétées de sang lors de leurs menstruations. Comme l'organisme manque de fer pour former ses globules rouges qui transportent l'oxygène, il est à bout de souffle ! Les oxydations cellulaires se font avec beaucoup de difficultés... la déprime organique guette et influence le psychisme : les anémiés sont régulièrement sujets aux humeurs moroses.

1. Effects of Germination on Cereal and Legume. P.L. Finney. 1982.

laver 1 à 2 fois.

- en général, les graines sont propres, un lavage devrait suffire.
- pas ou peu de graines cassées, et elles ne gênent pas la culture.

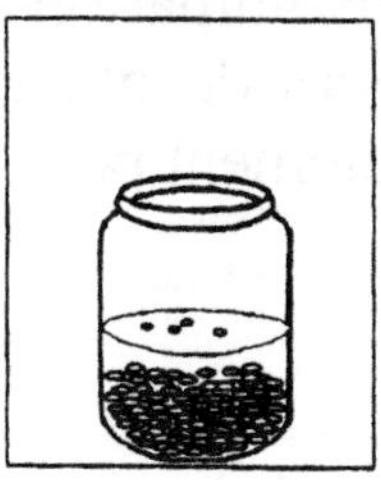

tremper 8 à 10 heures.

- mettre assez d'eau car les graines triplent de volume pendant le trempage.
- rincer plusieurs fois après le trempage car l'eau est colorée et mousseuse.

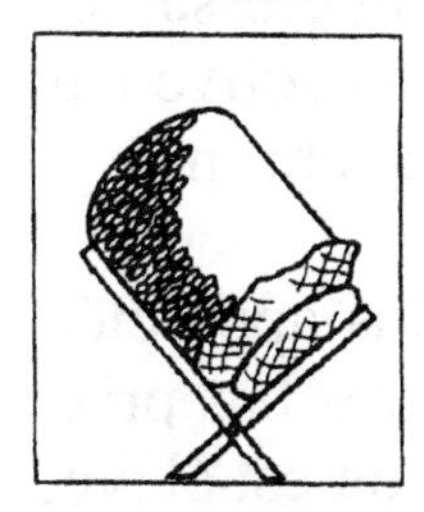

germer 2 à 3 jours.

- répartir les germes en cours de culture.
- ne pas prolonger la culture au-delà de trois jours car les graines deviennent fibreuses.

rincer 1 fois par jour.

- les lentilles demandent peu d'eau.
- la grosseur des graines facilite l'aération (donc l'évacuation de la chaleur), d'où un besoin restreint d'eau.

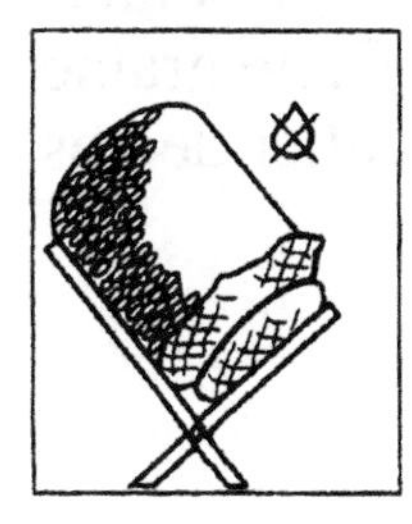

sécher 8 à 12 h.

- la majorité des enveloppes très fines restent attachées aux graines : pas de problème.
- répartir les germes dans le bocal en cours de séchage.

La culture des lentilles se résume à très peu de choses. Elles poussent très facilement, même si les conditions de cultures sont médiocres (manque d'eau ou manque de chaleur) ; elles ne demandent aucun soin particulier.
Graines très intéressantes car elles poussent vite ; après deux jours de culture seulement, les germes atteignent déjà un centimètre de longueur et sont prêts à la consommation. On pourrait poursuivre la culture quelques jours de plus, jusqu'au développement des feuilles… mais seulement pour ceux qui aiment mastiquer des fibres !

UNE GRAINE MONDIALE

Il existe plusieurs variétés de lentilles ; les plus intéressantes pour leur texture sont les lentilles de couleur vert/olive car elles contiennent moins de fibres que les lentilles brunes.

La lentille est la graine la plus cultivée et la plus appréciée par les voyageurs car on la trouve partout et à très bas prix. Elle est agréable à manger, le taux de germination est élevé, elle ne fermente pas et ne se putréfie pas, elle se contente de peu d'eau et se conserve très bien, même hors du frigo.
En matière de simplicité et d'efficacité de culture, on ne fait pas mieux !

Quand on sait que la lentille germée contient tous les acides aminés essentiels, cela ne peut que combler les personnes qui sont à la recherche de protéines complètes. Cette graine à tout pour plaire et elle devrait être l'hôte journalier de nos repas.

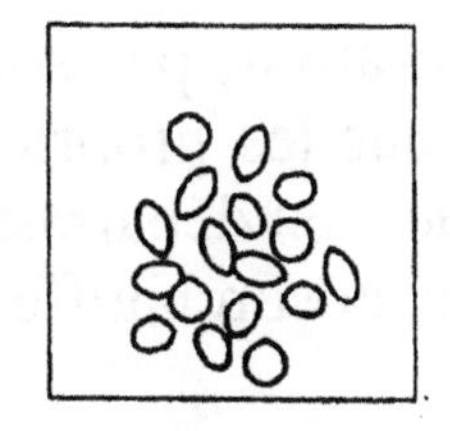

Connue depuis l'Antiquité comme remède puis, plus tard, comme épice, les romains mélangeaient des graines pilées de moutarde (latin : *mustum*, moût) à du moût de raisin.
Au cours des siècles, cette boisson s'est progressivement transformée en moutarde et le nom est resté.
Mais il ne faut pas confondre moutarde en tube (graines de moutarde pilées dans du vinaigre) et graines germées de moutarde ! La première peut irriter pendant que la seconde stimule ; peut-être la différence entre l'aliment mort et l'aliment vivant ?

PRINCIPAUX CONSTITUANTS

Comme l'embryon occupe la presque totalité de la graine et que cette dernière ne comporte pas d'albumen, les réserves alimentaires sous forme d'amidon sont donc négligeables.
La graine contient 35 % d'huile, beaucoup de soufre, des protéines, minéraux et vitamines, dont : A, B1, B2 et C.
La moutarde germée fait partie des trois champions *verts* pour sa teneur en vitamine C, avec le cresson et la roquette.

POUR NOTRE SANTÉ

La médecine utilise largement des cataplasmes aux graines de moutarde pilées pour soigner les lumbagos, les sciatiques et autres contractures musculaires.
Le réchauffement produit par le cataplasme permet une bien meilleure élimination des déchets métaboliques (mucosités, acide lactique, calcification) des tissus contractés.

La moutarde germée provoque aussi, par son piquant, cet effet de réchauffement induit par les propriétés révulsives de la moutarde : le corps tente de s'en débarrasser. Il recrache si c'est trop piquant ou il l'avale et surchauffe… et transpire pour évacuer cette chaleur.
Le corps transpire par ses millions de glandes sudoripares (des néphréons, des micro-reins) et élimine de la sueur (de l'urine diluée ; eau et sels). Ces glandes secondent les reins dans l'élimination des résidus acides issus de la dégradation des protéines. La transpiration est une des clés de la santé !

La moutarde est également antiputride, grâce à ses huiles essentielles antiseptiques. Elle limite la putréfaction des protéines dans les intestins, d'où son usage fort répandu avec les viandes.
Cet effet *bactéricide intestinal*, les peuples des pays chauds en abusent même, avec leur nourriture très épicée !

pas de lavage.

- le lavage est inutile car dès que les graines sont mises dans l'eau, elles forment un gel impossible à nettoyer.

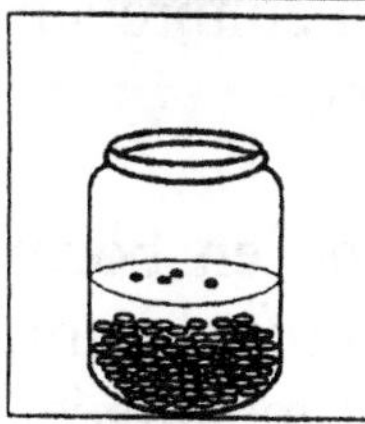

tremper 2 minutes.

- comme la moutarde est cultivée mélangée à d'autres graines, ajoutez-la juste à la fin du trempage des graines avec lesquelles elle sera cultivée et bien brasser.

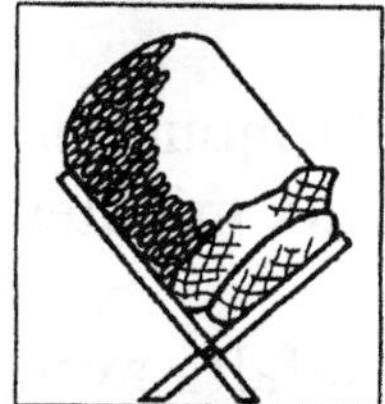

germer 4 à 6 jours.

- répartir les graines en cours de culture pour redistribuer l'humidité et faciliter son évaporation, car le mucilage retient l'eau.

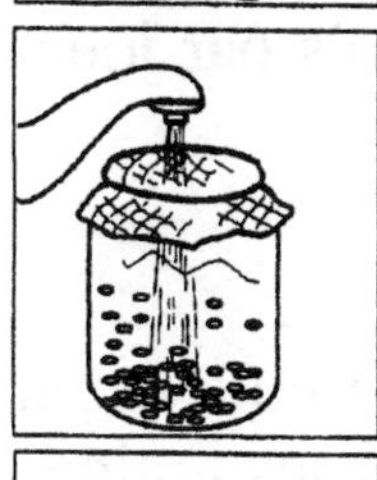

rincer 1 à 2 fois par jour.

- par son pouvoir de rétention d'eau, la moutarde nécessite peu de rinçages.
- bien évacuer l'eau après les rinçages.

baigner 1 à 2 fois.

- les graines sont fragiles et demandent de la délicatesse.
- les enveloppes fines fermentent facilement enlevez-en le maximum.

sécher 6 à 8 h.

- bien répartir pendant le séchage car les feuilles s'oxydent au contact des enveloppes libres.

La moutarde (comme la roquette et le cresson) est une graine mucilagineuse qui une fois trempée, s'entoure d'un gel très compact et collant. Ce gel provient des enveloppes dont les fibres absorbent une grande quantité d'eau.
La moutarde seule ne peut pas se cultiver en bocal car l'air ne pénètre pas dans cette masse gluante. Seule la culture sur plateau permet de les étaler et d'assurer l'aération.

La seule possibilité de faire germer la moutarde en bocal est de la mélanger avec l'alfalfa. Elle formera, au maximum, 20 % de la quantité cultivée, et les graines ainsi mélangées ne pourront pas s'agglomérer.
Avant la fin du trempage de l'alfalfa, ajouter la moutarde dans l'eau du trempage et mélanger. Attendre deux minutes puis vider l'eau.
La suite de la culture s'effectue comme pour l'alfalfa avec toutefois des rinçages moins fréquents (deux fois par jour) et une durée de séchage un peu plus longue.

LA MOUTARDE EN POUSSES

La germination sur plateau (en bac) permet de cultiver la moutarde sans avoir recours à l'alfalfa. Tremper les graines deux minutes dans un peu d'eau et les répartir sur une seule couche dans le bac de germination.

Avec le germoir Biosnaky Germinator, l'arrosage se fait par inondation des bacs puis évacuation du trop-plein d'eau.
On peut aussi étaler les graines sur un plateau et le placer, les trois premiers jours de germination, dans un sachet en plastique noir et troué, pour maintenir l'humidité (microclimat). Dès l'apparition des germes, vers le quatrième jour, enlever le plastique et vaporiser une fois par jour.

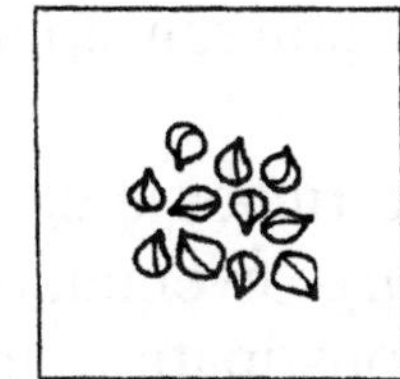

L'origine de l'oignon se situe en Asie centrale, en Iran et au Pakistan. Sa culture s'est propagée d'est à l'ouest au gré des différentes étapes sur la route de la soie.
Les Sumériens cultivaient l'oignon il y a plus de 6000 ans et les Égyptiens en firent même un légume sacré interdit au peuple ! Il était tenu en haute estime et il l'est toujours, car l'Association Médicale Américaine le reconnait comme un remède efficace contre les troubles cardiovasculaires.

PRINCIPAUX CONSTITUANTS

Son odeur nous indique qu'il contient des huiles sulfurées et volatiles ; des essences aromatiques aux multiples propriétés médicinales.
L'oignon est une excellente source minérale : calcium, cuivre, fer, fluor, iode, magnésium, phosphore, potassium, sodium et bien entendu, du soufre.
Il contient aussi des vitamines A, B1, B2, B3, B5, B6 et C, de l'acide folique et pantothénique ; de la biotine ; quelques protéines (1 %) ; des sucres naturels (11 %) ; des acides phosphoriques et acétiques ; de la sulfure d'allyle et de propène.

POUR NOTRE SANTÉ

L'oignon est le légume qui contribue le plus à la santé. C'est le roi des alicaments doté de puissants pouvoirs de guérison. Ce n'est pas pour rien qu'il est consommé dans le monde entier !

L'oignon, l'ail, l'échalote et le poireau appartiennent à la famille des liliacées.

Cette famille se distingue par sa richesse en substances bio actives qui agissent sur un très large éventail de pathologies : cancer, asthme, hypertension, constipation, troubles cardio-vasculaires… la liste est longue et non exhaustive !

Les composés sulfurés et volatils, ceux-là mêmes qui nous font pleurer quand on coupe des oignons, liquéfient les graisses et empêchent qu'elles ne se déposent sur les parois des artères, évitant leur rétrécissement et leur durcissement. Ces composés abaissent le taux des triglycérides (un lipide sanguin dangereux), favorisant ainsi la fluidité du sang et le maintien normal de la tension artérielle.

L'oignon est un diurétique unanimement reconnu grâce à sa forte teneur en fructosane (10 à 40 %). Son action porte surtout sur l'élimination du sel excédentaire des tissus. Quand on sait que le sel retient jusqu'à sept fois son poids en eau, il serait dommage de s'en priver… ne serait-ce que pour des raisons esthétiques !

L'oignon est bactéricide (tue les bactéries) et antiseptique (combat la prolifération des microbes intestinaux) ; c'est un véritable gardien des intestins.

Il est fongicide (détruit les micro-organismes nuisibles) ; anti-inflammatoire ; expectorant (liquéfie et rejette le mucus qui congestionne les poumons) ; antianémique (augmente la concentration sanguine en globules rouges) ; anti-infectieux (combat l'infection et purifie le sang) ; carminatif (combat les vers intestinaux et les flatulences) et anti-diarrhéique.

Le jus d'oignon est un remède reconnu et très utilisé pour éliminer l'excès d'acide urique généré par une alimentation trop carnée, trop céréalière et trop cuite.

laver 1 fois.

- les graines sont généralement propres, un lavage devrait suffire.
- bien brasser l'eau car les graines collent ensemble par électricité statique.

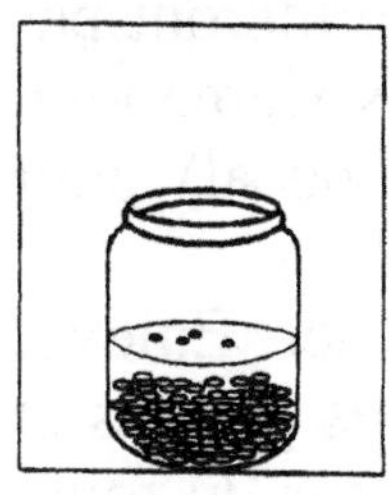

tremper 8 à 12 h.

- brasser quelques fois pendant le trempage car les enveloppes sont peu perméables et les graines nécessitent plus de temps pour couler au fond du bocal.

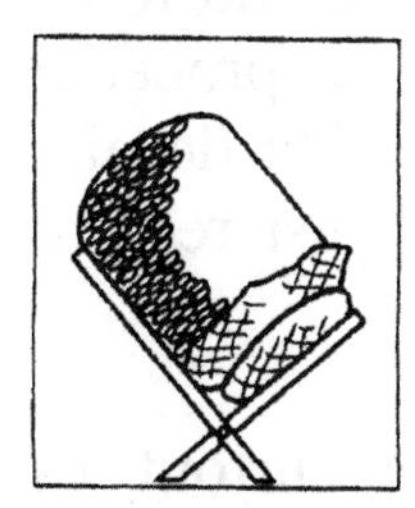

germer 8 à 10 jours.

- faire germer dans un endroit bien aéré car la germination provoque une forte odeur pendant les quatre premiers jours.
- répartir en cours de germination.

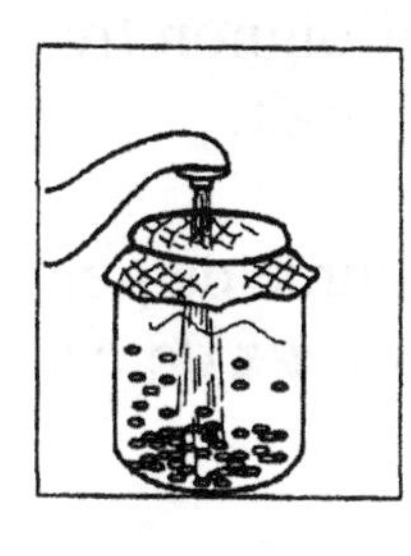

rincer 3 à 5 fois par jour.

- pour humidifier, mais aussi pour évacuer l'odeur ainsi que la mousse produite par la fermentation.
- après le rinçage, soigner le drainage.

sécher 6 à 10 heures.

- les enveloppes restent attachées aux feuilles, le bain est donc superflu.
- répartir les graines pendant le séchage pour uniformiser le séchage.

L'oignon est relativement facile à faire germer mais il est parfois nécessaire de lui faire subir un choc thermique en plaçant les graines une nuit au frigo avant de les cultiver.
Le taux de germination peut varier considérablement, il vaut mieux avoir des graines labellées : *spécial germination*, que l'on trouve dans les magasins diététiques.
Il y aura entre 20 et 30 % de graines qui ne germeront pas mais elles ne vont pas gêner la culture. Vers le sixième jour, on peut éventuellement les baigner (dans le bocal) pour enlever ces graines non germées.
Remplir d'eau le bocal, brasser et laisser reposer. Enlever les graines non germées en surface, prélever les germes et vider l'eau du bocal avec les graines non germées du fond.
Remettre les graines à germer dans le bocal et procéder comme d'habitude pour la suite de la culture. Un dernier bain en fin de culture, juste avant le séchage, est recommandé.

La culture de l'oignon ne passe pas inaperçue, surtout les quatre premiers jours, car il dégage une odeur d'oignon très remarquée ! Le quatrième jour, cette odeur disparaît.

L'oignon se distingue des autres graines par sa durée de germination de dix jours, et la forme *épingle à cheveux* de ces magnifiques pousses.

L'oignon se conserve au frigo une dizaine de jours, voire plus. On peut donc sans problème en cultiver une bonne quantité et constituer des réserves.

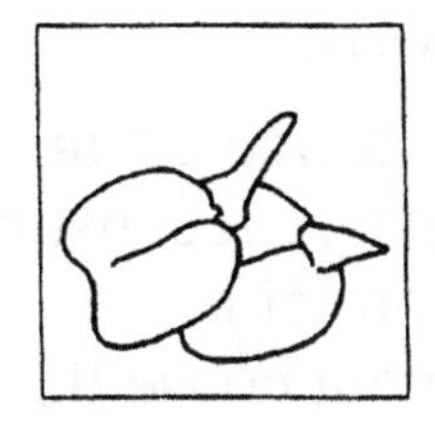

La culture du pois chiche est courante dans les pays chauds. Grâce à sa teneur élevée en fibres (dont la lignine), la plante résiste aux tempêtes tropicales.
Cette abondance de fibres se retrouve naturellement dans les graines germées.

PRINCIPAUX CONSTITUANTS

Le pois chiche contient 5 % de lipides, 20 % de protéines complètes et 60 % de glucides ! C'est une graine qui apporte beaucoup d'énergie par ses sucres et beaucoup de matériaux constructeurs par ses protéines.

Les légumineuses sont principalement consommées dans les pays du tiers-monde, tout autant que les céréales. Elles apportent dans le même *emballage* sucres et protéines, les deux substances de base alimentaire... d'où leur popularité.

La viande apporte des protéines, mais très peu de sucres et de plus, elle est chère et se conserve mal.
Les céréales apportent des sucres, mais peu de protéines.
Le pois chiche fournit les deux ; des protéines et des sucres, pour un prix dérisoire... et dans le monde entier !
Le pois chiche germé est bien pourvu en vitamines A, C, E (trois antioxydants majeurs) ainsi que B2, B3 et B12 (voir page 182). Il contient aussi de l'acide phosphorique (stabilisateur des nerfs) et divers minéraux, dont du fer et du calcium.

POUR NOTRE SANTÉ

Le pois chiche germé est une graine nourrissante et énergétique, fortifiante et reconstituante par sa teneur élevée en glucides et en protéines.
Il est spécialement conseillé aux anémiques et aux amaigris qui souhaitent reprendre du poids.
Il est également recommandé aux personnes constipées ou qui ont des parasites intestinaux. Ses fibres apportent le volume nécessaire à la formation des selles et entraînent les parasites vers la sortie des intestins. Elles font office de balais, aux mêmes propriétés que les soupes *cellulosiques*, ces légumes longuement mijotés sur les fourneaux de nos grands-mères.

Le pois chiche est une excellente source de phytonutriments. Il contient des isoflavones, dont la daidzéine et la génistéine, qui sont toutes deux des régulatrices du taux d'oestrogènes sanguin. Ces phytonutriments diminuent les risques de cancer et de maladies cardio-vasculaires.

Les phytonutriments sont actuellement à l'étude car on voudrait bien synthétiser ces substances qui protègent les plantes pour les utiliser chez l'homme, à titre thérapeutique. De grands espoirs sont fondés sur elles mais pas besoin d'attendre les pilules pour déjà en profiter !

laver 1 à 2 fois.

- les pois chiches sont généralement dépourvus de déchets végétaux.
- enlever les graines cassées pour éviter leur décomposition.

tremper 8 à 12 h.

- rincer abondamment après le trempage pour bien laver les graines.

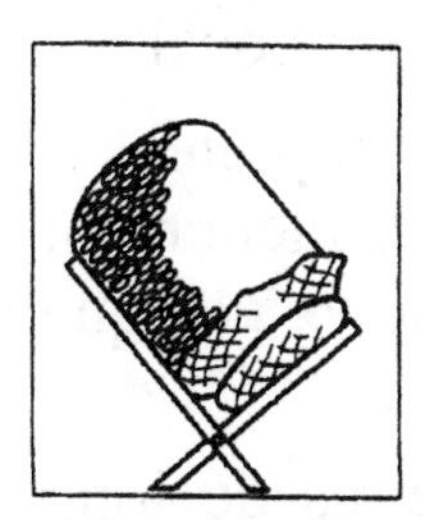

germer 2 à 3 jours.

- le pois chiche se putréfie facilement : répartir en cours de culture pour éviter que les germes ne stagnent trop longtemps au même endroit dans le bocal.

rincer 3 à 5 fois par jour.

- nécessite des rinçages fréquents pour laver les graines et le bocal des dépôts d'amidon.
- soigner le drainage de l'eau hors du bocal après chaque rinçage.

sécher 8 à 10 heures.

- répartir pour éviter que les germes restent trop longtemps au même endroit dans le bocal.
- peut aussi être séché dans un linge.

Le pois chiche est en principe facile à faire germer mais il peut nous réserver aussi quelques surprises.

La première concerne le taux de germination qui peut être bas si les graines sont vieilles de plus de deux ans ou si elles ont été stockées dans de mauvaises conditions. Il faudra donc enlever en cours de culture les graines qui ne germent pas pour éviter qu'elles ne se décomposent.

La deuxième surprise peut provenir des dépôts d'amidon qui collent les graines au fond du bocal. Rincer le pois chiche, c'est aussi laver le bocal des dépôts d'amidon. Pour cela, remplir le bocal au trois-quarts d'eau, boucher l'ouverture avec la main, imprimer lui un sens de rotation, laisser reposer, vider et laisser bien drainer l'eau hors du bocal.

Le mot clé dans la culture du pois chiche est : Propreté. Malgré sa grosseur, il fermente et/ou se putréfie facilement si l'on n'est pas attentif à l'hygiène. Veillons donc à ce que le bocal soit propre avant et pendant la culture !

Les germes de pois chiche ont deux centimètres de long environ, après trois jours de culture. Il n'est pas souhaitable de prolonger la culture, à cause des fibres.

Le pois chiche ne se conserve pas longtemps au frigo, il vaut mieux le consommer, dans les trois jours. Comme il pousse vite, cela ne pose aucun problème logistique pour les gros consommateurs !

Si une odeur de fermentation apparaît dans l'emballage, baigner les graines, égoutter et consommer rapidement. Bien entendu, le sens gustatif permet de déterminer si elles sont toujours bonnes à manger.

Si les graines ont pourri (ce qui est rare car elles ont plutôt tendance à sécher), jetez-les !

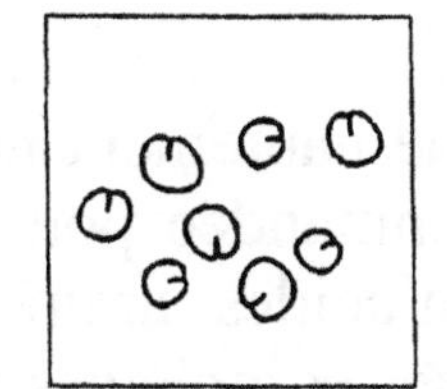

Le quinoa pousse sur les hauts plateaux des Andes (Pérou, Bolivie, Chili), à 3 500 m d'altitude, là où le climat est très rude : peu d'eau, peu d'oxygène, peu de chaleur et des écarts de température importants.
Le quinoa fût un des aliments de base des Incas (3 000 ans avant J.-C.), avec le maïs et la pomme de terre.
Aussi appelé riz des Incas, le quinoa était une plante bonne à tout faire : farine, légumes feuilles, combustible et même savon, en prélevant la saponine dans l'eau de trempage des graines.
Surnommée la Mère des graines par les habitants de ces hauts plateaux, le quinoa contient les avantages nutritifs du riz et du blé, tout en étant dépourvue de gluten.

PRINCIPAUX CONSTITUANTS

Le quinoa est avec le tournesol et le soja, une des meilleures sources de protéines végétales (16 à 20 %). Il contient les 22 acides aminés répertoriés, dont les 8 essentiels, en quantité équilibrée !
Avec une importante teneur en méthionine, cystine et lysine le quinoa germé présente une combinaison proche de celle du lait complet !
Le quinoa contient 5 % de glucides, 7 % de lipides et 5 % de fibres.
Il est très riche en calcium, fer, phosphore et en vitamines A, B1, B2, B3, B5, C, D, E, et J.

POUR NOTRE SANTÉ

Le quinoa germé est une graine hautement nutritive et très digeste, particulièrement recommandée pour la croissance grâce à son large éventail d'acides aminés. Sa double richesse en sucres et en protéines complètes en fait un super aliment : nourrissant, bon en bouche et tient bien au ventre.

Du bébé aux personnes âgées, en passant par les femmes enceintes ou allaitantes et les convalescents, tous ne peuvent que profiter de ces nutriments directement assimilables et facilement digérés.

Comme les graines germées sont des aliments prédigérés, elles conviennent parfaitement aux bébés, qui n'ont pas les enzymes requis pour la digestion des amidons, ainsi qu'aux vieillards édentés qui n'ont plus les capacités masticatives. Le quinoa contient de la lécithine, cet émulsifiant naturel qui empêche les graisses de s'agglutiner sous forme de plaquettes et de se déposer sur les parois des artères. Graine de croissance par excellence, mais aussi graine protectrice de nos artères, son usage ne peut que nous séduire.

Si l'on devait choisir une graine pour sa valeur nutritive et ses avantages organoleptiques : teneur en bouche, facilité de mastication et consistance… ce serait le quinoa. Si en plus il est mélangé à des mets chauds (soupe, purée), c'est une aubaine ! Sa consistance, devenue plus pâteuse par la chaleur, lui confère une texture des plus savoureuses en bouche. Mettre une poignée de quinoa germé dans la soupe, c'est l'assurance d'apporter toutes les protéines, dans un parfait état de présentation : vivantes !

laver 1 à 2 fois.

- en général les graines sont propres et un lavage devrait suffire.

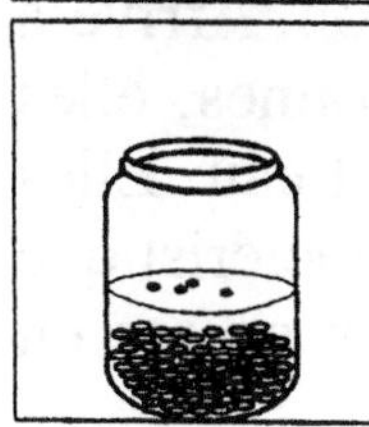

tremper 4 à 6 heures.

- bien brasser l'eau au début du trempage car les graines ont tendance à se coller ensemble par électricité statique.

germer 2 à 3 jours.

- répartir les graines dans le bocal en cours de germination pour éviter la formation d'une masse compacte qui peut fermenter.

rincer 2 fois par jour.

- utiliser la pression de l'eau du robinet pour brasser les graines et les démêler.
- drainage très soigné.

baigner 1 fois.

- le bain peut être utile si les graines sont trop entremêlées ou si une forte odeur de fermentation apparaît dans le bocal.

sécher 4 à 6 heures.

- répartir plusieurs fois en cours de séchage, car l'aération est très importante pour sécher cette masse compacte de graines germées.

Le quinoa germe très facilement et rapidement. Son taux de germination est élevé. La fin de culture est toutefois un peu délicate car l'on ne doit pas dépasser une certaine date limite de culture !
Le quinoa a ceci de particulier c'est qu'il s'arrête de pousser dès qu'il atteint cinq centimètres de long environ. Arrivé à ce stade de développement, si on rince les graines, elles deviennent flasques car elles n'absorbent plus l'eau. Elles fermentent et dégagent une odeur de vinaigre caractéristique de la fermentation lactique (transformation des sucres en acide lactique).
Inutile de les conserver au frigo dans cet état mouillé ; il vaut mieux les rincer abondamment et les manger tout de suite… pour ceux qui apprécient l'acidulé !

La culture du quinoa demande une sensibilité élémentaire et seule la pratique permet d'apprécier le moment opportun pour cesser tout apport d'eau.
Plus il fait chaud, plus la germination est rapide et plus vite est atteint ce point d'arrêt germinatif. S'il ne fait pas assez chaud, la culture s'éternise et la fermentation guette.
Trop d'eau et/ou pas assez d'aération par manque de répartitions des graines dans le bocal peuvent aussi enclencher ce processus de fermentation.

Les germes de quinoa ne se conservent pas longtemps au frigo, environ quatre jours. Ils devront être bien séchés si on veut éviter qu'ils ne deviennent flasques et fermentent à nouveau. Dans ce cas, il serait utile de les baigner juste avant de les consommer.

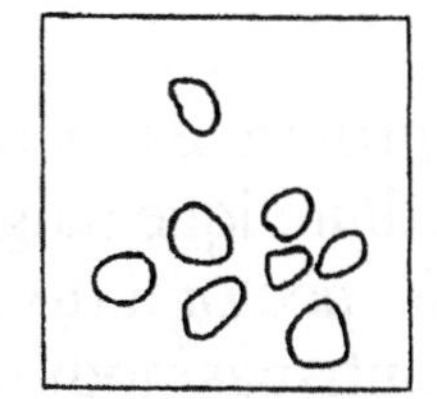
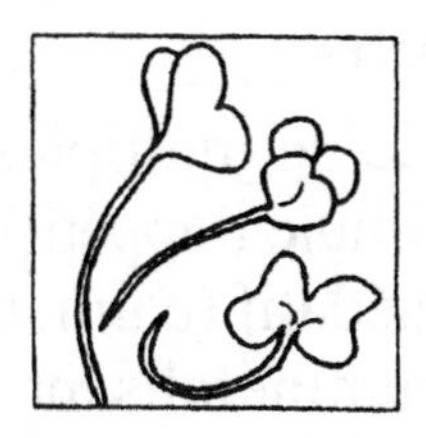

Le radis se cultive en Chine depuis 3500 ans. C'est de là que proviennent, semble-t-il, les différentes espèces sauvages dont certaines ont été domestiquées. L'origine de sa culture demeure cependant incertaine.
Des inscriptions sur la pyramide de Kheops (2 650 ans avant J.-C.) mentionnent déjà le radis. Les bâtisseurs de pyramides en consommaient régulièrement avec l'ail et l'oignon, ceci à des fins prophylactiques, pour éviter les épidémies.

PRINCIPAUX CONSTITUANTS

Le radis contient 37 % d'huiles essentielles dont le raphanol (essence sulfurée) et le senevol (glucoside sulfuré) qui lui donne son goût piquant.
Des acides gras sont aussi présents, dont : l'acide folique (vitamine B9, antianémique) ; l'acide linoléïque (constituant de la vitamine F) et pantothénique (vitamine B5, vitamine de croissance). Tous ces acides gras jouent un rôle majeur dans les métabolismes cellulaires.
La richesse minérale du radis germé est aussi intéressante : calcium, magnésium, potassium, iode, fer, phosphore et soufre.
La teneur en glucides, 4 % et protides, 1 % est faible, ce qui fait du radis un aliment-condiment, donc fonctionnel. Ses effluves aromatiques sont garants de la salubrité cellulaire car elles pénètrent les tissus et les purifient, spécialement ceux du foie et de la vésicule biliaire.

POUR NOTRE SANTÉ

Le radis possède de multiples propriétés médicinales :
Il est apéritif (stimule l'appétit) ; diurétique (augmente la sécrétion urinaire) ; sédatif (calmant) ; pectoral (tonifie le système respiratoire) ; reminéralisant ; antispasmodique (combat les spasmes) ; antirachitique stimule la croissance par son contenu iodé) ; antiseptique du sang et des bronches (détruit les bactéries).
Les essences volatiles (les hormones végétales) fortifient les métabolismes, particulièrement les sécrétions glandulaires. Manger du radis, c'est de l'aromathérapie dans son assiette !

Le radis est une excellente source de vitamine C. À ce titre, il a été utilisé avec succès pour combattre le scorbut, une maladie causée par le manque de végétaux frais, les seuls pourvoyeurs de cette précieuse vitamine C.

Le radis est cholagogue car il facilite l'évacuation de la bile en vidangeant la vésicule biliaire (réservoir de bile).
Il est considéré, à juste titre, comme le remède naturel des lithiases biliaires par sa capacité à dissoudre les calculs rénaux et à les évacuer par l'urine.

laver 1 à 2 fois.

- les graines de radis sont généralement de bonne qualité et propres, un lavage devrait suffire.

tremper 8 à10 h.

- si l'eau du trempage est légèrement mousseuse, bien rincer les graines après le trempage.

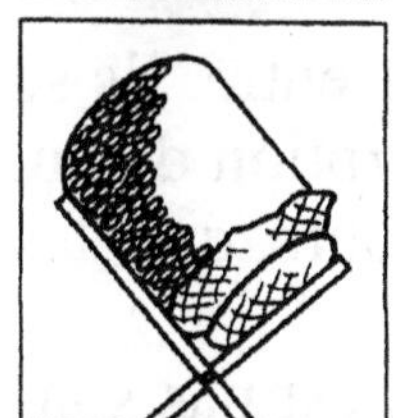

germer 4 à 5 jours.

- ne pas prolonger la culture, pour éviter la formation des racines et des radicelles.
- dès l'apparition des feuilles, exposer à la lumière.

rincer 3 à 4 fois par jour.

- les graines de radis peuvent surchauffer car la pousse est rapide : rincer avec de l'eau froide, si nécessaire.

baigner 1 fois.

- les enveloppes fermentent difficilement : aucun problème pour la culture.
- bain facile, les enveloppes flottent.

sécher 6 à 8 h.

- répartir plusieurs fois en cours de séchage pour assurer une bonne aération.
- attention au séchage trop long.

La germination du radis est facile pour une graine que l'on cultive jusqu'à la formation des feuilles et qui nécessite un bain pour enlever les enveloppes.
C'est la pousse la plus longue et la plus rapide. Elle n'est pas aussi délicate que l'alfalfa car les tiges sont plus grosses, elles cassent donc moins facilement.
Avec cette graine, peu de risques de fermentation ou de putréfaction… l'eau n'a pas le temps de croupir !
Le radis nécessite trois rinçages par jour au minimum si on ne veut pas voir se développer des radicelles et des petits poils absorbants sur la tige principale.
Ces poils sont des cellules à suc cellulaire concentré. Ils se développent pour augmenter la surface d'absorption d'eau. Une prolifération de ces poils indique toujours que les graines ont soif !
Une culture prolongée au-delà de cinq jours n'est pas souhaitée car les radicelles vont pousser, rendant les graines germées plus fibreuses.

Comme la saveur du radis est franchement prononcée, on le cultive souvent mélangé avec de l'alfalfa. Comme le radis pousse plus vite que l'alfalfa, il suffit de le mélanger (préalablement trempé) un jour après le début de la culture de l'alfalfa.
Ce mélange alfalfa/radis nécessite davantage de rinçages que pour l'alfalfa seul.
Le bain et le séchage ne posent aucun problème particulier et la conservation au frigo peut durer deux semaines.

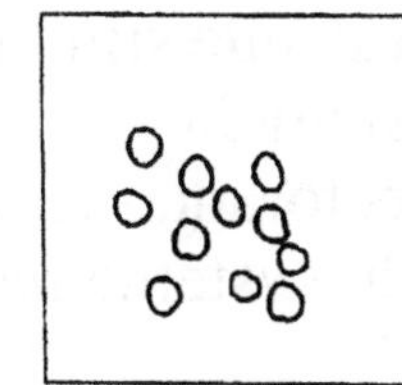

Originaire d'Europe centrale, la roquette pousse à l'état sauvage ; ses besoins modestes lui permettent de croître en terrain pauvre, au bord d'un chemin, dans un champ ou une terre en friche.
Les Romains de l'Antiquité en mangeaient, comme herbe aromatique et médicinale ; ils en garnissaient les plats pour faciliter la digestion de leurs repas gargantuesques !

PRINCIPAUX CONSTITUANTS

Les graines de roquette contiennent 30 % d'huile, que des agriculteurs ne manquent pas d'exploiter en les cultivant comme plante oléagineuse. Cet usage est toutefois marginal comparé à sa commercialisation sous forme de salade, au sud de la France et en Italie.
La roquette est riche en sels minéraux dont : soufre, sodium, potassium, calcium et phosphore.
Particulièrement riche en vitamines C, elle contient aussi des quantités substantielles de vitamines A, B1, B2 et B3.

POUR NOTRE SANTÉ

Les propriétés attribuées à la roquette sont les mêmes que celles que l'on retrouve dans toutes les graines aromatiques. Cependant, sa renommée provient principalement de ses effets stimulants, voire aphrodisiaques. Stimulant digestif et sexuel… cela n'a pas empêché toutefois la chute de l'Empire Romain !

La roquette est un tonique général, elle stimule les fonctions gastriques grâce à ses huiles essentielles.
Les essences sulfurées sont expectorantes (elles liquéfient et évacuent l'excédent de mucus du système respiratoire).

La roquette est apéritive (elle stimule l'appétit) ; dépurative (purifie l'organisme) ; digestive (facilite la digestion) ; anti-scorbutique (combat le scorbut par sa teneur en vitamine C); révulsive (décongestionne les organes par afflux sanguin) et diurétique (favorise l'émission urinaire).

pas de lavage.

- le lavage est inutile car dès que les graines sont mises dans l'eau, elles forment un gel impossible à nettoyer.

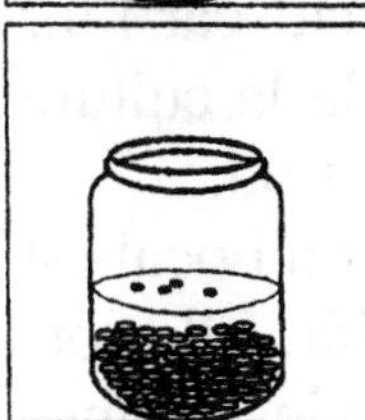

tremper 2 minutes.

- comme la roquette est cultivée mélangée à d'autres graines, ajoutez-la juste à la fin du trempage des graines avec lesquelles elle sera cultivée et bien brasser.

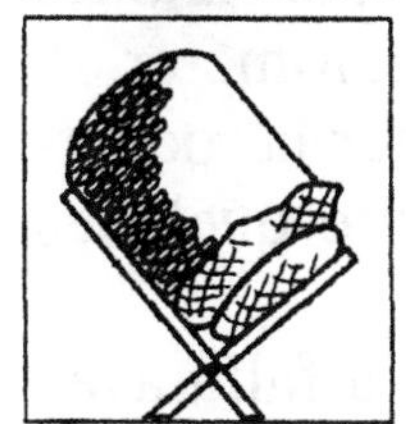

germer 4 à 6 jours.

- répartir régulièrement les graines en cours de germination pour redistribuer l'humidité et faciliter son évaporation.

rincer 1 à 2 fois par jour.

- par son pouvoir de rétention d'eau, la roquette nécessite peu de rinçages.
- bien drainer l'eau après les rinçages.

baigner avant le séchage.

- les graines germées sont fragiles, agir avec doigté et délicatesse lors du bain.
- les enveloppes fermentent très facilement, enlevez-en au maximum.

sécher 6 à 8 h.

- bien répartir pendant le séchage car les feuilles s'oxydent et les enveloppes libres fermentent facilement.

La roquette (avec le cresson et la moutarde) est une graine mucilagineuse qui une fois trempée, s'entoure d'un gel qui forme une masse compacte et collante. Ce gel provient des enveloppes dont les fibres solubles retiennent une grande quantité d'eau.

La roquette seule ne peut pas se cultiver en bocal car l'air ne pénètre pas dans cette masse gélatineuse. Seule la culture sur plateau permet de les étaler et d'assurer l'aération.

La seule possibilité de faire germer de la roquette en bocal est de l'associer avec une autre graine, comme l'alfalfa. Elle formera, au maximum, 20 % de la quantité cultivée ; les graines ainsi mélangées à l'alfalfa ne pourront pas s'agglomérer.

Juste avant la fin du trempage de l'alfalfa, ajouter la roquette dans l'eau du trempage et mélanger. Attendre quelques minutes puis vider l'eau.

La suite de la culture s'effectue comme pour l'alfalfa avec toutefois une durée de séchage un peu plus longue.

Comme la roquette retient beaucoup d'eau, deux rinçages journaliers devraient suffire.

LA ROQUETTE EN POUSSES

La germination sur plateau (en bac) permet de cultiver de la roquette sans avoir recours à l'alfalfa. Tremper les graines dix minutes dans un peu d'eau et les répartir sur une seule couche dans le bac de germination.

Avec le germoir Biosnaky Germinator, l'arrosage se fait par inondation des bacs puis évacuation du trop-plein d'eau.

On peut aussi répartir les graines sur un plateau et le placer, les trois premiers jours de germination, dans un sachet en plastique noir et troué, pour maintenir l'humidité (microclimat). Dès l'apparition des germes, vers le quatrième jour, enlever le plastique et vaporiser deux fois par jour.

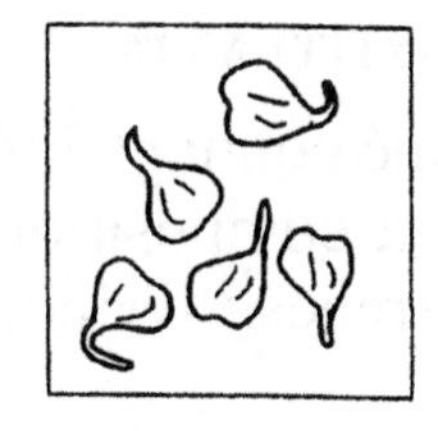

Le sarrasin fait partie de l'alimentation traditionnelle en Europe centrale (Russie, Arménie et Turquie) car sa culture résiste aux climats froids et aux sols pauvres de ces pays. C'est là que l'on retrouve son origine, ainsi que la plus importante production mondiale actuelle.
En Russie, le sarrasin est grillé, cuit et consommé sous son nom de *kasha*, plat traditionnel au menu de tous les restaurants et dans toutes les familles.

En Bretagne, on utilise depuis longtemps la farine de sarrasin (ou blé noir) pour les crêpes salées. En effet, comme celle-ci ne contient pas de gluten, elle permet d'obtenir une pâte moins collante et mieux adaptée.

LE GRAIN

Le sarrasin est commercialisé sous trois formes : décortiqué, non décortiqué ou grillé.
Les graines entières, non décortiquées, se présentent sous forme de petits prismes avec leur enveloppe brune et dure. Ces graines s'utilisent dans l'agriculture et dans l'hydroculture des jeunes pousses.
Les graines décortiquées (dont l'enveloppe a été retirée), de couleur plus claire, sont celles utilisées pour la culture en bocal.
On trouve également le *kasha,* du sarrasin grillé qui, étant cuit, est impropre à la germination.

PRINCIPAUX CONSTITUANTS

Le sarrasin germé contient 2 % de protéines complètes, bien équilibré dans sa composition en acides aminés essentiels, dont ceux recherchés : lysine, arginine, histidine, cystine et tryptophane.

Le sarrasin est une excellente source de sels minéraux, une des meilleures parmi les graines germées.
Il contient une importante quantité de silicium (améliore la fixation des sels minéraux osseux) ; de magnésium (essentiel au système nerveux) ; de phosphore (pour les surmenés, les fatigués) ; de fluor (prévient la déminéralisation des os) ; de potassium, de manganèse, de zinc et de cuivre.
Il est également pourvu d'un peu de fer, calcium et soufre.
Il contient aussi les vitamines A, groupe B, C, E, K et P.

POUR NOTRE SANTÉ

Le sarrasin (avec le soja et le sésame) est une graine très efficace pour la prévention des maladies cardiovasculaires (hypertension, durcissement des artères, artériosclérose) car on y trouve une haute teneur en lécithine.
La lécithine est un émulsifiant naturel qui réduit en fines particules les graisses qui stagnent dans le sang. Elle évite la formation d'amas graisseux qui pourraient se déposer sur les parois des artères et les boucher.

Le sarrasin contient également une importante quantité de rutine (vitamine P), nommé : médicament des bleus.
Elle est souvent prescrite associée avec la vitamine C, pour prévenir les hémorragies, les troubles circulatoires (jambes lourdes, varices, hémorroïdes) et la fragilité des capillaires.

laver 3 fois.

- inutile d'enlever les graines cassées car il y en a trop et elles ne gêneront pas.
- lavage soigné pour évacuer l'amidon qui rend l'eau très visqueuse.

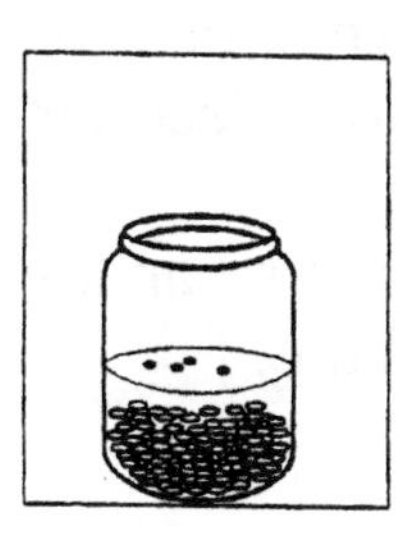

tremper 4 à 6 heures.

- brasser une fois en cours de trempage pour immerger toutes les graines.
- on peut éventuellement changer l'eau en cours de trempage pour éliminer l'amidon.

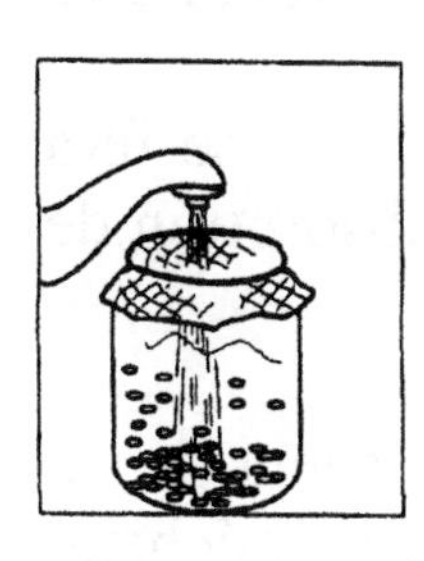

rincer abondamment…

- après le trempage pour évacuer fibres et amidon qui rendent l'eau visqueuse.
- soigner l'évacuation de l'eau hors du bocal après le rinçage.

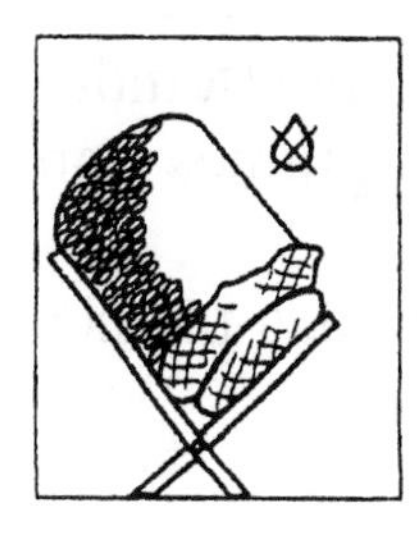

germer 2 à 3 jours.

- culture à sec, sans rinçage.
- répartir régulièrement les germes dans le bocal pour redistribuer l'humidité.
- ne pas prolonger la culture pour éviter la formation des racines.

La germination du sarrasin est très facile si l'on connaît les deux points essentiels à sa culture, soit : assoiffer et répartir. Le sarrasin contient environ 20 % de graines cassées, et de l'amidon, provenant de ces graines. L'eau emmagasinée par ces graines lors du trempage nous dispense des rinçages car cette humidité sera absorbée par les graines en germination. Le deuxième point important consiste à répartir matin, midi et soir les graines dans le bocal pour diffuser l'humidité et aérer les amas que les graines ont tendance à former dans le bocal. Pour cela, retourner et tapoter le bocal pour décoller les graines du fond.
Ne pas poursuivre la culture au-delà de trois jours car les radicelles vont apparaître, ce qui n'est pas souhaité.

La culture se résume donc à :
Trois lavages, trempage court, rinçage abondant après le trempage, germination sans rinçage, répartitions régulières en cours de culture pour redistribuer l'humidité.
Comme les graines ne sont pas rincées, le séchage se fera progressivement en cours de germination par absorption de l'humidité.

Au frigo, répartir une fois par jour les graines dans leur bocal, pour augmenter la durée de conservation, et donc la fraîcheur.

LE SARRASIN EN POUSSES

Pour la culture des pousses de sarrasin qui peuvent atteindre jusqu'à quinze centimètres de long, utiliser les graines non décortiquées.
Ne pas manger les enveloppes qui se détachent d'elles-mêmes des feuilles, ou les enlever à la main.

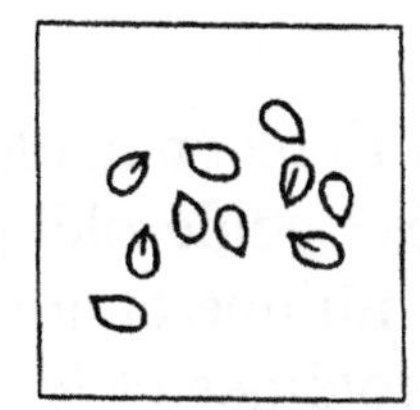

Sésame, ouvre-toi !
Les deux battants de la lourde porte s'ouvrirent
pour dévoiler d'innombrables trésors, entassés-là,
dans cette caverne, par des années de rapines
d'une bande de quarante voleurs.

Qui ne connaît pas cette formule : Sésame, ouvre-toi !
C'est l'hommage rendu à cette petite graine dont la valeur nutritive est un vrai trésor !
Les graines de sésame savent se faire désirer, et un trésor se mérite, semble vouloir dire Dame Nature. En effet, pour que les graines arrivent à maturité, il faut préalablement couper la plante et attendre l'ouverture des capsules (téguments) pour bénéficier de ces petites merveilles de graines… d'où la formule : Sésame ouvre- toi.

LA PLANTE

La plus ancienne plante oléagineuse connue et cultivée pour l'excellence de son huile extraite des graines. Cette huile ne rancit pas, grâce au sésamol, un anti-oxydant puissant. Elle se conserve plusieurs années sans s'altérer, ce qui est loin d'être le cas pour les autres huiles d'oléagineux.
Le sésame se cultive dans les pays tropicaux et subtropicaux, particulièrement en Inde et en Afrique, où les graines sont pressées pour leur huile, ou incorporées dans de nombreuses sucreries.

PRINCIPAUX CONSTITUANTS

L'huile extraite de la graine est riche en acides gras saturés, mono-insaturés et polyinsaturés : acide oléique, linoléique, alpha-linoléique, stéarique, palmitique et arachidique.
Le sésame contient 30 % de protéines et les acides aminés méthionine et tryptophane, généralement déficients dans les végétaux.
Le sésame est d'une grande richesse minérale : calcium, fer, chrome, cuivre, magnésium, phosphore, silicium et zinc.
Les vitamines ne sont pas absentes : A, B1, B3, E et F.
Le sésame est aussi riche en lécithine que le soja et le sarrasin.

POUR NOTRE SANTÉ

Le sésame est nutritif, énergétique et reminéralisant.
Son importante teneur en acides gras en fait la nourriture des nerfs par excellence (les acides gras font l'étanchéité des gaines nerveuses et des membranes cellulaires).

Le sésame est un complément alimentaire remarquable, riche en tout et utilisable partout : dans les müeslis, les soupes, les salades, les sauces et les farces.

laver 1 à 3 fois.
- bien brasser l'eau car les graines, légères, mettent du temps pour couler.
- fixer le voilage et vider le bocal car les graines qui restent en surface germeront.

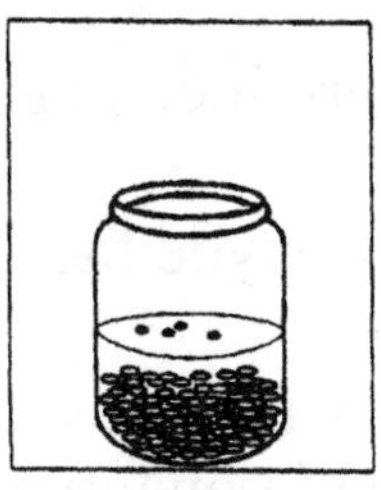

tremper 4 à 6 heures.
- brasser plusieurs fois lors du trempage pour faire couler les graines récalcitrantes.
- les graines restées en surface après le trempage ne germeront pas, les jeter.

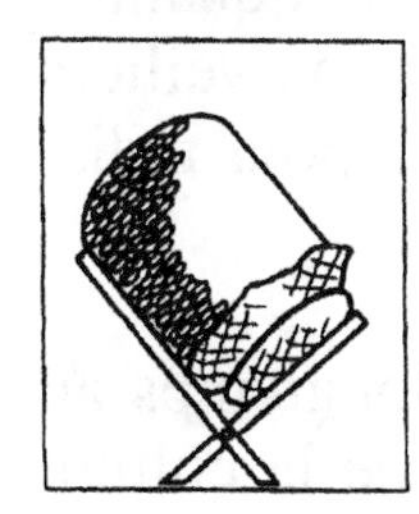

germer 1 à 3 jours.
- prolonger la culture produit des germes amers et des racines non souhaitables.
- bien répartir en cours de germination pour redistribuer l'humidité.

rincer 1 à 2 fois par jour.
- rinçages soignés pour éliminer les dépôts d'amidon collés au bocal.
- bien drainer l'eau après les rinçages pour éviter l'oxydation.

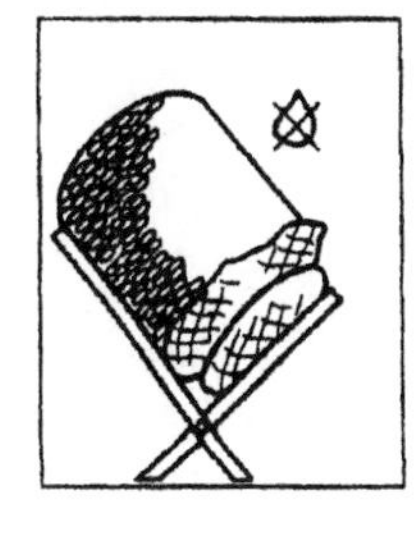

sécher 6 à 10 heures.
- répartir quelques fois en cours de séchage et tapoter le bocal car les germes forment un amas qui se colle au fond et maintient une humidité élevée.

Les graines de sésame sont très appréciées des insectes et des larves, il est donc plus prudent de les conserver au frigo, dans un récipient avec fermeture hermétique.

Le sésame se cultive en un temps très court, un à trois jours, au maximum. Plus la culture se prolonge, plus les graines s'oxydent, deviennent amères et fibreuses.
En général, on les consomme dès le trempage terminé, mais certaines personnes apprécient son amertume.
La culture du sésame est délicate car la graine s'oxyde facilement.
Pour éviter cet inconvénient, on peut limiter les rinçages à une fois par jour, s'il ne fait pas trop chaud et si la quantité cultivée n'est pas trop importante. Dans ce cas, on veillera à répartir plus souvent les graines dans le bocal pour redistribuer l'humidité.

Les germes de sésame ne se conservent pas longtemps au frigo (toujours à cause de l'oxydation). Comme la culture est rapide… on peut les manger dès le trempage terminé, il vaudrait mieux ne les produire qu'au fur et à mesure des besoins.

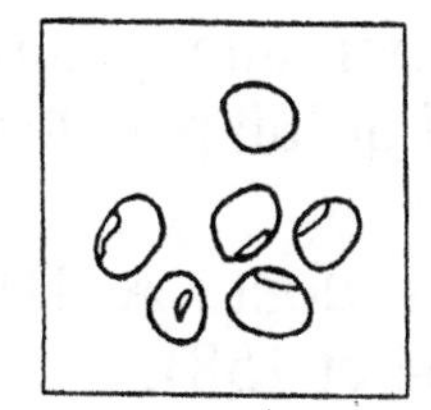
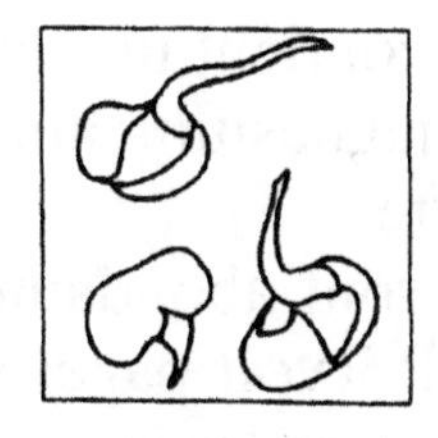

Les pousses de soja (les Chinois l'appellent la viande sans os) sont depuis des millénaires une ressource très importante de protéines dans les pays asiatiques.

L'Empereur Shen Nung (2 800 ans avant J.-C.) est considéré comme le Père de la médecine chinoise. On lui doit l'étude systématique des propriétés médicales de diverses graines, étude dans laquelle il mentionnait déjà les vertus curatives du soja. Il le recommandait pour des affections aussi variées que les troubles digestifs, les problèmes de peau et de calvitie ! Ayant constaté l'influence de l'alimentation sur la santé et les effets bénéfiques d'une alimentation végétale, Shen se mit au jardinage et enseigna la culture des céréales et des légumineuses.

PRINCIPAUX CONSTITUANTS

Le soja est une des meilleures sources de protéines avec la spiruline (algue microscopique) et la levure de bière (voir page 206).
Ces protéines contiennent les huit acides aminés essentiels, ce qui fait du soja germé un véritable substitut de la viande.

Le soja contient 20 % de glucides, dont deux principaux : le sucrose et le raffinose.
La germination dégrade le raffinose en glucose et fructose, les mêmes sucres que ceux trouvés dans les fruits [1].

Le soja germé contient une importante quantité de calcium, phosphore et magnésium, ainsi qu'un peu de fer, potassium, sodium et soufre.
Les vitamines sont abondantes, dont : A, B1, B2, B3, B5, B12, C, E et PP [2] (voir pages 64 et 158).
Le soja, avec le sarrasin et le sésame, sont extrêmement bien pourvus en lécithine (2 %) et en lipides (18 %).

À PROPOS DU CALCIUM

On a longtemps pensé qu'il fallait manger régulièrement des produits laitiers pour se faire de bons os et pour éviter l'ostéoporose (diminution de la densité osseuse) survenant vers la soixantaine. Les Américains qui sont pourtant de grands consommateurs de produits laitiers, sont aussi les premiers à souffrir de cette pathologie. Il a donc fallu revoir cette théorie un peu trop poreuse !
On s'est aperçu qu'une consommation régulière de viande provoque une importante acidification du sang.
Pour neutraliser cette acidité et rétablir un pH (potentiel Hydrogène) sanguin neutre, l'organisme puise dans ses os les minéraux nécessaires au rétablissement de l'alcalinité sanguine. Avec le temps, la densité osseuse diminue et la rigidité du squelette s'amenuise, conduisant à l'ostéoporose dont un des effets pervers est la fracture du fameux col du fémur, très fréquente chez les personnes âgées.

LA LÉCITHINE… UN ÉMULSIFIANT DES GRAISSES

La lécithine (grec : *lekithos*, jaune d'œuf) est un lipide phosphoré qui est le meilleur émulsifiant naturel connu.
Elle est tellement abondante dans le soja que la totalité de lécithine utilisée dans le monde est extraite de cette graine, cela représente un marché colossal.

La lécithine contient de la choline et de l'inositol, qui sont deux substances appelées lipotropes, qui régularisent le taux des graisses dans le foie et le sang. La lécithine fluidifie le sang et nettoie les artères obstruées. Elle aide à faire baisser le taux de cholestérol, évite le durcissement des artères et les dépôts graisseux sur les organes et dans les vaisseaux.

POUR NOTRE SANTÉ

Le soja germé contient des hormones qui appartiennent au groupe des phyto-oestrogènes. Ces hormones : la génistéine et la daidzéine sont des variantes de l'œstrogène, l'hormone des femmes et semblent suppléer la perte en oestrogènes au moment de la ménopause. Elles réduisent les troubles liés à la ménopause comme l'ostéoporose, les bouffées de chaleur et les troubles cardiovasculaires.
Ce n'est certainement pas un hasard si les Japonaises, grandes consommatrices de pousses de soja, ne sont pas sujettes à ces bouffées de chaleur. Il n'existe d'ailleurs pas de mot en japonais pour désigner cette affectation [3] !

1. Chimical change during germination of soja bean. Carbohydrates Metabolism. Lee J.Y. Seoul University. J9 :12. 1959.
2. Germination du soja et vitamines. Claude Aubert. Terre Vivante. Paris. 1983.
3. Les alicaments. Sélène Yeager. Éditions Marabout.

**TENEUR EN VITAMINE C
DE GRAINES DE LÉGUMINEUSES EN COURS DE GERMINATION**

Temps de germination	*Teneur en vitmine C*
Non germées	Traces
Après 24 heures de germination	7 à 8 mg/100 g
Après 48 heures de germination	10 à 12 mg/100 g

Extrait de : KULYINSKAS (Y.),*Sprout for the love of everybody,* Omangop Press, 21 st Century Punlication P.U.F. Fairfield, 52556, USA, 1978.
Reproduit dans : AUBERT (C.), *Onze questions clefs sur l'agriculture, l'alimentation, la santé et le tiers-monde,* Terre Vivante, Paris, 1983.

Dr Bailey (University of Minnesota) : la vitamine C du blé germé augmente de 600 % dans les premières journées de germination et la vitamine E triple en 4 jours. La vitamine E est reconnue pour jouer un rôle important dans la fertilité des individus.
Dr Ralph Bogart (Kansas Agricultural Experimental Station) : dans 40 g de graines germées d'avoine on trouve 15 mg de vitamine C, soit plus que dans une quantité correspondante de melon, de cassis ou de myrtilles.
Dr Andrea (Mc Gill University) : dans 110 g de pois germés se trouvent 30 mg de vitamine C, quantité comparable à la teneur en vitamine C du jus d'orange.
Dr Berry Mack (University of Pennsylvania) : dans les graines germées de soja, après 72 heures, on constate une augmentation de la teneur en vitamine C de 553 %.

On trouve par ailleurs dans le blé en germination les transformations suivantes :

	Phosphore	*Magnésium*	*Calcium*
Grain entier	423 mg %	133 mg %	45 mg %
Grain entier germé	1050 mg %	342 mg %	71 mg %

(À titre indicatif, le pain blanc contient environ : 86 mg de phosphore, 0,5 mg de magnésium, 14 mg de calcium).

Extrait de : CAYLA (M.) : *Découvrez les graines germées*, Nature et Progrès, Paris, 1983.

laver 1 à 3 fois.

- le soja est généralement propre, peu de déchets végétaux et de graines cassées.
- bien brasser lors du lavage.

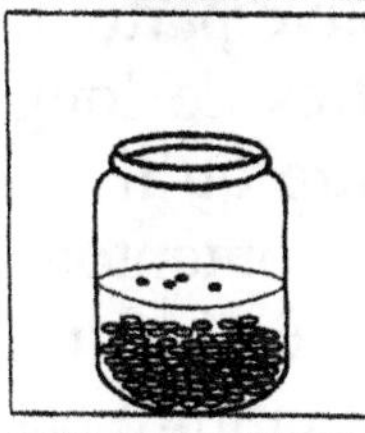

tremper 8 à 12 h.

- tremper dans de l'eau tempérée, pour faciliter le passage de l'eau à travers les enveloppes qui sont peu perméables.

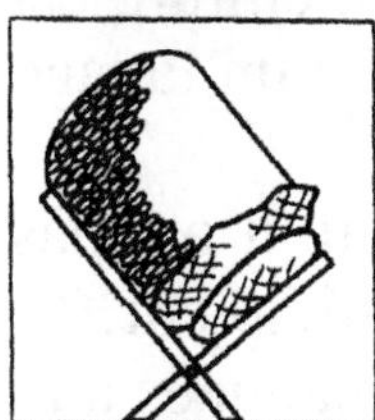

germer 2 à 3 jours.

- le soja est sensible à la lumière : si possible, le faire germer dans l'obscurité.
- répartir en cours de germination.

rincer 3 à 6 fois par jour.

- le soja a soif ; laisser tremper dans l'eau quelques minutes avant de vider le bocal, pour bien mouiller les graines.

baigner 1 fois.

- pour évacuer les graines non germées qui reposent au fond du récipient ainsi que les enveloppes détachées.

sécher 4 à 6 heures.

- séchage facile et rapide, demande peu d'attention et de soins particuliers.
- éviter l'exposition à la lumière.

Parmi les multiples variétés de soja, le soja vert (mung) est le mieux adapté pour la germination. Les autres variétés sont trop fibreuses (soja bean ; de couleur jaune) ou le taux de germination trop faible (azuki ; de couleur rouge).

Les pousses de soja sont populaires et on en trouve partout. Ces longues pousses blanches de dix centimètres de long demandent des conditions particulières de culture qu'il est difficile de reproduire dans un bocal. Nous nous contentons de les cultiver pour leur petit germe, d'un demi centimètre, ce qui est déjà mieux que rien ! Dans ce cas, la culture est facile avec trois rinçages par jour au minimum et un lavage en fin de culture pour enlever les enveloppes.
Le lavage sert également à enlever les graines qui n'ont pas germé et qui reposent, en principe, au fond du récipient.
Attention toutefois aux graines non germées mélangées aux germes ; elles sont dures et peuvent provoquer des dégats... aux dents !

Beaucoup d'enveloppes restent attachées aux graines après le bain, mais cela ne pose aucun problème de culture.
Par contre, ces enveloppes épaisses peuvent provoquer des colites désagréables chez les personnes dont les intestins sont fragiles. Mieux vaut s'en abstenir en attendant que les intestins se soient rééduqués progressivement aux fibres.

Comme les graines poussent en deux ou trois jours, il n'est pas nécessaire d'en constituer des réserves car elles ne se conservent pas longtemps au frigo et s'assèchent vite.

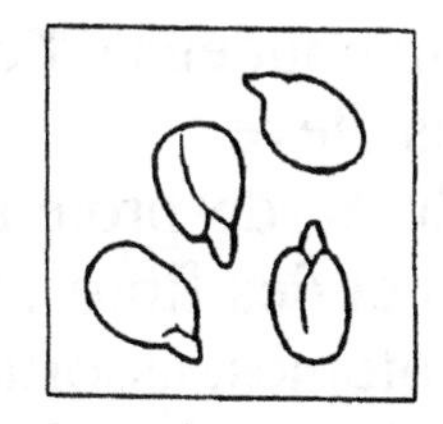
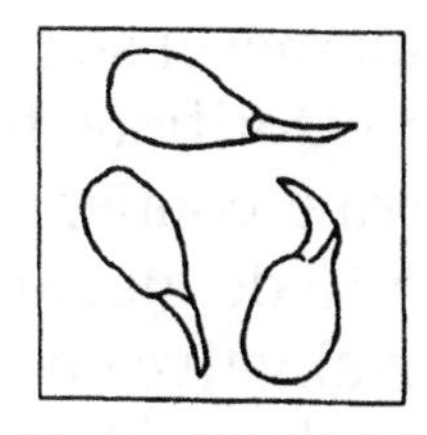

Une profonde symbolique est liée à la fleur de tournesol car dès le levé du soleil, elle se redresse sur sa tige et suit son mouvement céleste, pour se prosterner à son coucher.
Pour les Indiens des hauts plateaux des Andes, les Incas, si l'homme se tourne vers le grand esprit de vie (le soleil) son existence sera porteuse des fruits de l'abondance, comme ces grosses fleurs de tournesol gorgées de quelque trois cents graines !

LES GRAINES

Les graines de tournesol sont vendues dans le commerce soit entières, soit décortiquées.
Les graines entières ont l'apparence de petits prismes noirs, parfois striées de fines bandes blanches. Elles s'utilisent dans l'agriculture ou pour l'hydroculture de jeunes pousses.
Les graines décortiquées (dont on a enlevé les enveloppes), de couleur beige, sont celles utilisées pour la germination en bocal.

PRINCIPAUX CONSTITUANTS

L'exposition au soleil de ces trois cents petites graines, bien rassemblées et arrangées dans la fleur, produit des graines riches en matières grasses, 25 à 40 % de lipides.
De ces graines est extraite une huile de très bonne qualité et bien équilibrée : huile saturée 12 % ; monosaturée 22 % ; acide linoléique 65 % et acide linolénique 1 %.

Les graines de tournesol sont un condensé d'énergie solaire avec un pouvoir calorifique très élevé.
Le tournesol germé contient 30 % de protéines complètes (voir p. 204), 15 % de glucides et des fibres. Cette richesse quantitative et qualitative en protéines, assortie des glucides et des fibres nous donnent un aliment des plus complets.
La germination multiplie les minéraux, principalement : le calcium, phosphore, potassium, fer (six fois plus que dans les œufs), magnésium (la plus haute teneur parmi tous les aliments), chlore, fluor, manganèse, cobalt, cuivre, zinc et iode (voir p. 204).
Le tournesol germé offre des vitamines en abondance : A, B1, B2, B3, B6, B12, E, F, K et la précieuse vitamine D, la vitamine solaire.

POUR NOTRE SANTÉ

Le tournesol germé est un aliment très nutritif : ses protéines sont complètes et équilibrées ; il regorge de sucres, de matières grasses et il est bourré de vitamines, de minéraux et d'enzymes.
Ses fibres abaissent la tension artérielle, facilitent le transit intestinal et évacuent les parasites intestinaux.

Le tournesol est un complément alimentaire idéal pour toutes sortes de recettes car il apporte plus de fibres, plus de consistance, plus de vie et plus de croquant.

laver 2 à 3 fois.
- enlever les graines décolorées.
- laver pour évacuer les graines cassées qui remontent à la surface.

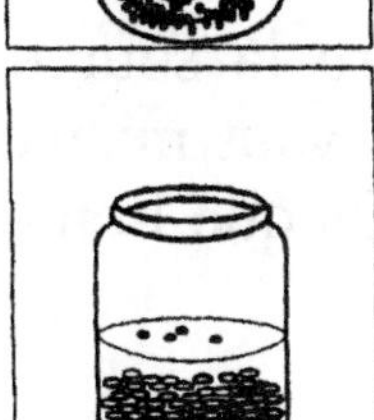

tremper 4 à 6h.
- après le trempage, laver à nouveau pour évacuer les fines enveloppes transparentes qui remontent à la surface.

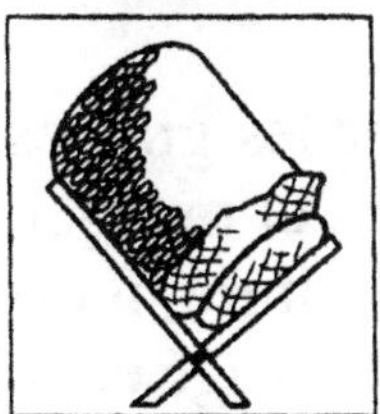

germer 1 à 3 jours.
- répartir en cours de culture pour limiter l'oxydation des germes.
- ne pas prolonger la culture au-delà de trois jours pour cause d'oxydation excessive.

rincer 1 fois par jour.
- limiter les rinçages au strict minimum car les enveloppes, gorgées d'eau, maintiennent une forte humidité qui oxyde les germes.

baigner 1 fois par jour.
- pour évacuer les enveloppes au fur et à mesure qu'elles se détachent des graines.
- le bain peut se faire dans le bocal.

sécher 4 à 6 heures.
- séchage délicat dû à l'oxydation.
- répartir plusieurs fois les germes dans le bocal pour redistribuer l'humidité.

Les graines de tournesol décortiquées ne se conservent pas bien car elles sont riches en huiles qui s'oxydent facilement à l'air libre et à la lumière : elles rancissent et se décolorent avec le temps.
Un emballage mal fermé et oublié quelques mois au fond d'un placard de la cuisine peut également être la source d'un envahissement de mites ! Pour l'éviter, il vaut mieux conserver les graines au frigo, tout au moins dès que l'emballage est ouvert, spécialement l'été.

Le tournesol peut être mangé dès le trempage terminé ou après deux jours de culture, au choix.
Pour la consommation après le trempage : laver les graines (sans enlever les cassées), tremper quatre heures et manger.
Si on veut les consommer après deux jours de culture, il est préférable d'enlever les graines cassées avant le lavage et de donner un bain chaque jour (dans le bocal) pour éliminer les fines enveloppes qui remontent à la surface.
Les germes peuvent se colorer de taches d'oxydation, dues à une trop importante humidité retenue par les enveloppes ; dans ce cas, supprimer les rinçages et répartir plus souvent les graines dans le bocal pour redistribuer l'humidité.
Les germes de tournesol ne se conservent pas bien au frigo, les consommer rapidement.

LE TOURNESOL EN POUSSES

Pour le tournesol cultivé en jeunes pousses, utiliser les graines non décortiquées. Les pousses de tournesol sont les plus belles, les plus longues (vingt centimètres) et les plus agréables à manger.
Ne pas consommer les enveloppes qui se détachent d'elles-même des feuilles ou les enlever à la main.

Les graines germées avec feuilles : alfalfa, cresson, fenouil, fenugrec, moutarde, oignon, radis et roquette sont juteuses, aromatiques et ne contiennent que peu de fibres.

Elles sont parfaitement adaptées pour la salade, à qui l'on demande du jus, un peu de mastication et beaucoup de saveur pour augmenter l'attrait gustatif.

Elles peuvent aussi garnir sandwiches et crudités.

Alors, profitons-en !

Les graines germes : amande, blé, courge, lentille, quinoa, pois chiche, sarrasin, soja et tournesol sont plus consistantes. Elles contiennent plus de sucres, de protéines et de fibres. Avec elles, les salades deviennent des crudités et les déjeuners, vraiment nourrissants.

Amande, blé, courge, sarrasin, sésame, soja et tournesol sont des germes qui peuvent se mélanger au müesli du matin ou aux salades de fruits. Ils apportent les meilleurs sucres et protéines que l'on puisse imaginer.

La lentille, le pois chiche et le soja sont fibreux et amidonnés, ils sont encore plus rassasiants. Ces grosses graines passent très bien dans les potages ou mélangées aux plats chauds. La chaleur les ramollit et ils deviennent tendres, ce qui n'est pas pour nous déplaire.

Avec les graines oléagineuses, c'est le retour des laits, des yaourts et des fromages végétaux : lait nature ou lait fruité, fromage nature ou assaisonné aux fines herbes… il y a le choix, les possibilités de préparations sont multiples.

- **petit déjeuner** vite fait bien fait avec un muësli au sarrasin germé, mélangé avec des fruits, c'est croquant et nourrissant.
- avec quelques amandes, courge, tournesol ou sésame trempés… c'est encore mieux !

- une bonne poignée d'alfalfa mélangée à la **salade** et, pour relever le goût, une pincée d'oignon germé, c'est chic !
- du radis, du fenugrec, dans les sandwiches ou les hors-d'œuvres, ça va aussi.

- les graines oléagineuses : amande, courge, sésame et tournesol trempés, puis broyés ; voilà comment obtenir d'excellentes huiles pour les sauces à salade !

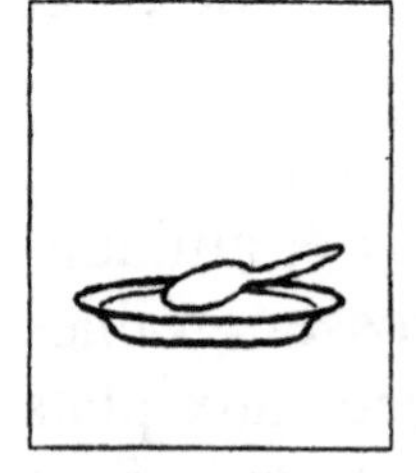

- mettre une bonne poignée de lentilles dans la **soupe**, c'est tellement facile !
- quinoa, sarrasin, soja, tournesol et pois chiche, toutes s'y prêtent. Un geste anodin, mais un plus qualitatif dans l'assiette !

- en **lait** nature ou fruité, voilà l'oléashake ! Avec les amandes, courge, quinoa, sésame et tournesol, les laits nouveaux sont arrivés !
- en **yaourt** ou **fromage**, toujours avec les oléagineux et les noix.

Pain ou croissants, galettes ou müesli de céréales précuites, les graines sont depuis longtemps le centre du petit déjeuner consistant, contenant des sucres et des protéines.
Alors, restons dans les graines, mais cette fois-ci… germées !

On commencera, par exemple, par un lait d'amandes, de quinoa, de sésame, de tournesol, de courge ou de noix.
Tous donnent d'excellents laits végétaux (voir p. 171).
On peut y ajouter du miel, de la poudre de caroube (ou du cacao) ou y broyer des fruits frais. Ces laits peuvent suffire à combler les petites faims du matin.

Pour les plus affamés, on peut continuer par un müesli au sarrasin germé et des fruits. Si en plus, on ajoute des graines oléagineuses trempées : amande, sésame, tournesol, courge, la consistance laiteuse, tant recherchée, en sera renforcée.

Pour les plus pressés, on peut toujours grignoter sur le chemin de l'école un mélange de graines d'amande, de noix de courge et de fruits secs, préalablement trempés.
Ce mélange appelé *le dessert des quatre mendiants* fut, au Moyen Âge, la seule nourriture des moines errants qui n'acceptaient, en aumône, que les amandes, les noix, les figues et les raisins secs !
Repas de mendiant, certes, mais en réalité, repas de Roi : les sucres et les protéines sont si abondants !

Les repas de midi et du soir, en général, composés d'aliments cuits (viandes, céréales, légumes) devraient commencer par une salade bien verte. Ce serait un minimum vital car sans crudités, les repas manquent de substances fonctionnelles : vitamines, enzymes et hormones, qui sont indispensables à une bonne assimilation.
Commencer par une salade permet aussi d'éviter les effets pervers (stress digestif, perte d'immunité) de la leucocytose digestive, induite par les aliments cuits.

Manger mieux tient, en fait, à peu de choses : il s'agit juste de remettre les crudités au centre de l'assiette.
La majorité des légumes se prêtent à être mangés crus. Il suffit d'en soigner la préparation en garnissant les plats de quelques feuilles de salades, de carottes en bâtonnets, de rondelles de courgettes ou de navets râpés.

Manger cru ne doit pas faire de nous des herbivores qui mâchons et remâchons, en regardant le train passer ! Couper les légumes finement nous fait gagner du temps.
À cela s'ajoutent des sauces onctueuses à base de graines oléagineuses pour améliorer le confort de la mastication (le contenu en bouche devient plus pâteux), et relever le goût.

Quant aux aliments cuits, ils accompagnent le cru, pour satisfaire tous les goûts.

Pour favoriser l'alimentation crue, les sauces jouent un rôle capital : elles apportent une partie huileuse qui augmente l'onctuosité des aliments en bouche, l'aisance masticative et le plaisir gustatif s'en trouvent renforcés.
Quand il s'agit de manger des crudités, ces sauces font toute la différence : elles permettent d'apprécier ce qui, au départ, peut sembler insipide et surtout, bien fibreux !

Il n'est pas nécessaire de créer de nouvelles recettes car les sauces en usage ont fait leurs preuves et il n'en manque pas. On va simplement les épaissir et en augmenter la saveur.

De la simple vinaigrette à la mayonnaise, il y a tout un choix de consistances possibles. Les graines oléagineuses, riches en huiles, sont les plus appropriées pour épaissir et enrichir les sauces à salade et les mayonnaises, pour les crudités.
Amande, courge, quinoa, sésame, tournesol et noix, broyées avec un peu d'eau, d'huile et/ou du citron se liquéfient très facilement.
Le « broyat » ainsi obtenu, plus ou moins épais, dans lequel viennent s'ajouter des épices ou des herbes aromatiques est une sauce enrichissante. Tout y est : sucres, protéines, matières grasses, enzymes, vitamines, minéraux, et chlorophylle… qu'on ne pourrait manger que la sauce ! Mais c'est aussi très agréable d'y tremper des carottes en bâtonnets ou du céleri en branche.

La cuisine, de nos jours, se veut rapide, place donc à la soupe instantanée : six minutes de cuisson, service compris ! C'est pratique… mais malgré son bon goût, ce potage manque singulièrement de vie !
Le compromis cru et cuit ne peut pas être plus représentatif qu'ici : il suffit de mettre quelques graines de lentilles, pois chiche, sarrasin, quinoa ou soja dans le potage… et le tour est joué !
Ces grosses graines conviennent parfaitement à ce genre de préparation. Au contact de la chaleur elles se ramollissent et deviennent plus tendres, donc plus faciles à mâcher. Voila une excellente raison et façon de les consommer régulièrement !
Pour faciliter la mastication de ces grosses graines, on peut aussi les broyer au mixeur avec un peu de réjuvélac (voir p. 177), ou de l'eau, avant de les mettre dans la soupe.
Que l'on cuisine du riz cantonais, des pâtes carbonara ou de la purée de pomme de terre, on peut toujours y mélanger quelques germes de graine. Elles apporteront les précieuses substances fonctionnelles : vitamines, hormones et enzymes, que le raffinage et la cuisson ont détruites.

Les graines aromatiques, cresson, fenouil, fenugrec, radis, moutarde, oignon et roquette peuvent être hachées finement pour donner davantage de saveur aux soupes, sauces, farces et plats cuisinés.

Les graines d'amande, courge, quinoa, sésame et tournesol ainsi que les noix ; cajou, noisettes, pignons de pins, peuvent être trempés puis broyés au mixeur avec de l'eau pour obtenir de délicieux laits végétaux.
Et qui dit lait, dit yaourt et fromage : c'est toute une gamme de produits laitiers végétaux qui peut être obtenue avec ces graines. Avec elles, on n'est pas à court de lait : une alternative pour les personnes allergiques au lait de vache et une excellente boisson lactée pour tous.

Broyer au mixeur quelques amandes avec de l'eau jusqu'à liquéfaction complète puis filtrer avec une passoire. Voilà *l'oléashake*, un lait 100 % végétal.

Broyer au mixeur des graines avec un minimum de réjuvélac (voir p. 177) jusqu'à liquéfaction complète.
Transférer dans des pots à yaourt et recouvrir d'un linge. Placer une nuit au chaud (20 à 25 °C), pour l'étape de la fermentation. Le matin suivant, le yaourt est prêt.

Broyer au mixeur les graines avec le réjuvélac. Transférer le broyat dans un tissu et laisser égoutter pendant quelques minutes. Placer le broyat dans un récipient en verre, recouvrir d'un linge et placer un à deux jours au chaud (20 à 25 °C) pour l'étape de la fermentation. Le deuxième jour, le fromage est servi !

Les yaourts et les fromages demandent un peu de pratique avant que l'on puisse assurer une fermentation correcte, car cette dernière dépend de plusieurs paramètres :

- qualité des graines.
- quantité des graines utilisées pour préparer le lait.
- durée de trempage de ces graines.
- concentration du réjuvélac en ferments lactiques.
- quantité de réjuvélac utilisé pour la fermentation.
- durée de fermentation.
- température de la cuisine.

Difficile de maîtriser tous ces paramètres la première fois !

Il peut arriver que le yaourt ou le fromage tournent, au lieu de fermenter. L'odeur de pourri nous invite naturellement à le rejeter. Cette putréfaction des protéines peut provenir soit d'une graine rance que l'on a oublié d'enlever avant le trempage, soit des pots à yaourts mal nettoyés.
Certaines eaux trop chlorées peuvent gêner la fermentation. Dans ce cas, on peut utiliser de l'eau minérale non gazeuse, naturellement.

Cependant, le problème le plus courant que l'on rencontre est un yaourt trop liquide ou un fromage trop mou. Cela peut provenir du lait ou du réjuvélac qui ne sont pas assez concentrés et dans ce cas, augmenter la quantité des graines utilisées pour ces deux préparations.
En général, on ne filtre pas le lait obtenu après broyage pour préparer les yaourts et les fromages… mais à nouveau, seule la pratique vous le dira.

Dans tous les cas, après quelques essais et tâtonnements, vous serez devenus de parfaits artisans fromagers !

Elle est belle, bonne, fraîche, croquante et juteuse, c'est la reine des salades germées, c'est l'alfalfa.
Ajoutée à la salade ou dans les sandwiches, hors-d'œuvres et crudités, l'alfalfa apporte du jus, au sens propre, comme au figuré ! C'est une graine délicate à faire germer, délicate à conserver et délicate au manger... elle n'est pas Reine pour rien !
Pour éviter que les graines ne s'assèchent, les utiliser au dernier moment, juste avant de servir.

LE GASPACHO

- 2 t. d'alfalfa germé.
- 1 t. de tournesol trempé.
- 6 tomates bien mûres avec peau fine.
- 1 poivron.
- 1 gousse d'ail, écrasé.
- 1 petit oignon.
- 1/2 t. de persil.
- 2 t. de réjuvélac (voir le blé à table) ou de l'eau froide.

Broyer tous les ingrédients au mixeur jusqu'à liquéfaction complète. Servir froid.

EN ENROULÉS

- 2 t. d'alfalfa germé.
- 1/2 t. d'oignon germé émincé.
- 1 avocat écrasé.
- quelques feuilles de salade.
- quelques gouttes de tamari ou de sauce soja.

Mélanger les graines avec l'avocat et le tamari. Rouler dans les feuilles de salade verte.

Valeur nutritive des graines germées et des jeunes pousses

ANALYSE DE 100 G DE POUSSES DE LUZERNE DÉSHYDRATÉES

Vitamines :		*Minéraux :*	
A	jusqu'à 44.000 u.i.	Phosphore	250 mg
D	1040 u.i.	Calcium	1750 mg
E	50 u.i.	Potassium	2000 mg
K	15 u.i.	Sodium	150 mg
C	176 mg	Chlore	280 mg
B1	0,8 mg	Soufre	290 mg
B2	1,8 mg	Magnésium	310 mg
B6	1,0 mg	Cuivre	2 mg
B12	0,3 mg	Manganèse	5 mg
Niacine	5 mg	Fer	35 mg
Acide panthothénique	3,3 mg	Cobalt	2,4 mg
Inositol	210 mg	Bore	4,7 mg
Biotine	0,33 mg	Molybdène	2,6 ppm
Acide folique	0,8 mg		
		Autres minéraux (traces) :	
Autres substances :		Nickel	
Fibres	25 %	Strontium	
Protéines	20 %	Plomb	
Gras solubles	3 %	Paladium	

u.i. : unités internationales / ppm : parties par million / mg : milligramme / mcg : microgramme

Extrait de : Gelineau (C.) : *"La germination dans l'alimentation"*, Gélineau Claude-Sherbrooke, 1978 - Bibliothèque nationale du Québec et Bibliothèque nationale du Canada.

Les amandes trempées une nuit dans l'eau et écalées (dont on a enlevé les enveloppes brunes) sont très appréciées dans les müeslis et les salades de fruits. La consistance laiteuse est un atout, à nous de l'exploiter.
On peut donc les consommer sous forme de lait végétal, en fromage ou broyées dans les sauces pour les épaissir et en augmenter la richesse nutritive.

EN LAIT

- 10 amandes trempées puis écalées.
- 2 t. d'eau froide ou chaude.

Broyer au mixeur les graines avec l'eau jusqu'à liquéfaction complète. Filtrer à l'aide d'une passoire et récupérer le lait. Il se conserve trois jours au frigo dans une bouteille fermée. Le broyât se conserve au frigo dans un récipient fermé en attendant l'occasion de l'utiliser dans une sauce, une soupe ou une farce.

EN LAIT FRUITÉ

- lait d'amandes.
- 2 dattes trempées, dénoyautées.
- fruits frais : banane, fraises ou framboises ou fruits secs trempés : figues, abricots.

Broyer ensemble tous les ingrédients au mixeur jusqu'à liquéfaction complète. On peut éventuellement filtrer : c'est moins épais et plus rafraîchissant ! Servir frais.

EN BEURRE

- 1 t. d'amandes trempées puis écalées.
- huile de tournesol.

Moudre finement avec quelques gouttes d'huile jusqu'à obtenir la consistance désirée.

EN FROMAGE

- 2 à 3 t. d'amandes trempées puis écalées.
- 1 à 1 1/2 t. de réjuvélac (voir le blé à table).

Broyer au mixeur les amandes avec le réjuvélac. Placer le broyat dans un tissu et laisser égoutter quelques minutes. Transférer ensuite dans un récipient en verre, recouvrir d'un linge et placer un à deux jours au chaud (20 à 25 °C) pour l'étape de la fermentation. Après fermentation, couvrir le récipient et mettre au frigo. Mélanger à ce caillé, ail, oignons et autres fines herbes avant de consommer.
Le fromage nature se conserve trois jours au frigo dans un récipient fermé.
Assaisonné, il se consomme dans la journée.

EN SAUCE SUCRÉE

- 1 t. d'amandes trempées puis écalées.
- 1/2 t. de réjuvélac (voir le blé à table) ou de l'eau.
- 4 c.s. d'huile de tournesol.
- 4 dattes trempées puis dénoyautées.

Broyer au mixeur tous les ingrédients jusqu'à liquéfaction complète. Servir sur une salade de fruits frais, sur des crêpes ou sur le müesli.

EN SAUCE À SALADE

- 1 t. d'amandes trempées puis écalées.
- 4 c.s. d'huile d'olives.
- quelques gouttes de tamari ou de sauce soja.
- 1/2 t. de réjuvélac (voir le blé à table) ou de l'eau.
- 1 à 4 c.s. de levure.

Broyer au mixeur tous les ingrédients (sauf la levure), puis transférer dans un bol. Ajouter la levure (1 à 4 c.s.) selon la consistance désirée.

Pour son goût sucré et sa texture gommeuse, le blé germé se prête merveilleusement bien pour toutes sortes de préparations qui demandent de la consistance.

EN MÜESLI

- 1 t. de blé germé émincé ou broyé.
- fruits frais de saison coupés.
- quelques raisins secs.
- 1 pomme râpée.

Mélanger le tout. Ajouter un peu de crème ou du yaourt.

LE PAIN ESSÉNIEN

- 3 t. de blé germé d'un jour de germination.
- 2 t. de réjuvélac ou de l'eau.

Broyer grossièrement au mixeur les graines avec le réjuvélac. Filtrer dans une passoire. Malaxer puis façonner le broyat en fines galettes. Sécher au four (max. 45°C), au soleil ou sur un radiateur.

LE RÉJUVÉLAC

- 1/2 t. de blé germé d'un jour de germination.
- 1 litre d'eau minérale non gazeuse.

Broyer grossièrement au mixer le blé avec la moitié de l'eau minérale. Transférer dans un pot et rajouter le reste de l'eau. Brasser, recouvrir le pot avec un linge et laisser fermenter un à deux jours au chaud (20 à 25 °C). Après fermentation, filtrer (sans brasser), prélever le liquide et jeter le broyat.

Le réjuvélac est le principal agent de fermentation pour les fromages et yaourts végétaux. Il se conserve très bien deux semaines au frigo dans une bouteille fermée.
Ne pas boire le dépôt blanc au fond de la bouteille.

On peut ajouter quelques gouttes de citron et un peu de miel pour en faire une boisson rafraîchissante de santé : riche en enzymes et en bacilles lactiques bénéfiques à nos intestins. On peut aussi y dissoudre 3 c.s. de miel, couvrir d'un linge et laisser fermenter un jour supplémentaire. Placer au frigo avant de servir. Voilà un champagne pétillant pour les petits !

EN FARCE

- 2 t. de blé germé de deux jours de germination.
- 4 belles tomates.
- quelques feuilles de basilic émincées.
- réjuvélac.
- quelques gouttes de tamari ou de sauce soja.
- 1 à 3 c.s. de levure.

Couper les chapeaux et évider les tomates. Broyer grossièrement au mixeur l'évidage des tomates et le blé germé avec un peu de réjuvélac. Transférer dans un bol et mélanger le tamari et la levure (1 à 3 c.s.) en fonction de la consistance souhaitée. Farcir les tomates. Servir frais.

EN TABOULÉ

- 2 t. de blé germé broyé grossièrement.
- 1 oignon haché.
- 1 t. de persil haché.
- 2 tomates coupées en dés.
- 1/2 citron pressé.
- 1 c.s. d'huile d'olive.
- quelques gouttes de tamari ou de sauce soja.

Mélanger le tout. Servir frais.

La consistance amidonnée et laiteuse des graines de courge offre des possibilités d'utilisations variées : lait, fromage, müesli, salade, purée, farce et soupe.

EN LAIT

- 1/2 t. de graines de courges trempées.
- 2 t. d'eau froide.

Broyer au mixeur les graines avec l'eau jusqu'à liquéfaction complète. Filtrer à l'aide d'une passoire et récupérer le lait. Ce lait se conserve trois jours au frigo dans une bouteille fermée.
Le broyât se conserve au frigo deux jours dans un récipient fermé dans l'attente de l'utiliser dans une sauce, une soupe ou une farce.

EN LAIT FRUITÉ

- lait de courge.
- 2 dattes trempées puis dénoyautées.
- fruits frais : banane, fraises, framboises.
- ou fruits secs trempés : figues, abricots, pruneaux.

Broyer au mixeur tous les ingrédients jusqu'à liquéfaction complète.
On peut éventuellement filtrer : c'est moins épais mais plus rafraîchissant ! Servir frais.

EN BEURRE

- 1 t. de graines de courges trempées.
- huile de tournesol.

Moudre finement avec quelques gouttes d'huile jusqu'à la consistance désirée (plus ou moins ferme).
Ce beurre se conserve trois jours au frigo dans un récipient fermé hermétiquement pour éviter le rancissement.

EN FROMAGE

- 2 à 3 t. de graines de courges trempées.
- réjuvélac (voir le blé à table).

Broyer au mixeur les graines avec un peu de réjuvélac. Placer le broyat dans un tissu et laisser égoutter pendant quelques minutes. Transférer dans un récipient en verre, recouvrir d'un linge et placer un à deux jours à température ambiante (20 à 25 °C) pour l'étape de la fermentation. Après fermentation, couvrir le récipient et mettre au frigo. Mélanger ail, oignons et autres fines herbes avant de consommer.
Le fromage nature se conserve trois jours au frigo dans un récipient fermé ; assaisonné, on le mangera dans la journée.

EN PURÉE

- 2 t. de graines de courges trempées.
- 2 avocats écrasés.
- réjuvélac (voir le blé à table) ou de l'eau.
- quelques gouttes de tamari ou de sauce soja.
- curry en poudre ou autre condiment.

Broyer au mixeur les graines avec un peu de réjuvélac, puis transférer dans un bol et mélanger avec l'avocat. Ajouter le tamari et le curry. Servir sur canapés ou feuilles de salade.

EN SAUCE

- 1 t. de graines de courges trempées.
- 1/2 t. de réjuvélac (voir le blé à table) ou de l'eau.
- 4 c.s. d'huile d'olive.
- quelques gouttes de tamari ou de sauce soja.
- 4 c.s. de levure.

Broyer au mixeur les graines avec le réjuvélac et transférer dans un saucier. Ajouter l'huile, le tamari et la levure puis mélanger.

Comme le cresson se cultive généralement mélangé à de l'alfalfa, son utilisation se confond avec l'alfalfa.
Comme toutes les autres graines aromatiques, le cresson contribue à relever le goût des salades, des sauces, des sandwiches, des farces, des hors-d'œuvres et des plats de crudités. Il peut être finement coupé et saupoudrer les potages ; c'est un véritable exhausteur de goût… et de santé !

LE GASPACHO CRESSON

- 2 t. d'alfalfa/cresson germé.
- 1 t. de tournesol trempé.
- 6 tomates bien mûres avec peau fine.
- 1 poivron.
- 1 gousse d'ail écrasé.
- 1 petit oignon.
- 1/2 t. de persil.
- 2 t. de réjuvélac (voir le blé à table) ou de l'eau froide.

Broyer tous les ingrédients au mixeur jusqu'à liquéfaction complète. Servir froid.

EN ENROULÉS

- 2 t. d'alfalfa/cresson germé.
- 1/2 t. d'oignon germé émincé.
- 1 avocat écrasé.
- quelques feuilles de salade.
- quelques gouttes de tamari ou de sauce soja.

Mélanger les graines avec l'avocat et le tamari. Rouler dans les feuilles de salade verte.

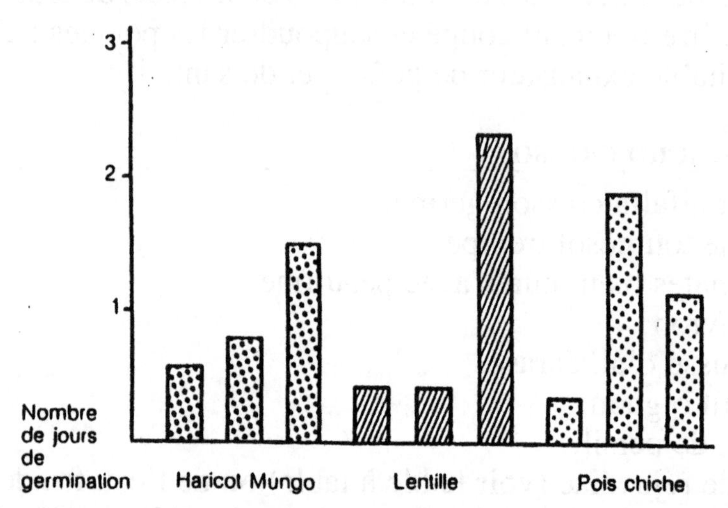

Les teneurs en vitamines B2, B12 et PP sont multipliées par 2 à 10.

Extrait de : AUBERT (C.) - Article sur la germination des graines - Les Quatre Saisons du Jardinage - N° 27, juillet-août 1984.

Dr Paul Burkholder (Vale University) : la qualité de vitamine B des graines d'avoine germées augmente de plus de 1300 % ; quand les jeunes pousses vertes surgissent hors des graines germées, l'augmentation est de plus de 2000 %. Le Dr Burkholder a également constaté les augmentations suivantes : pyridoxine (vitamine B6), 500 % ; acide pantothénique : 200 % ; acide folique : 600 % ; biotine : 50 % ; inositol : 100 % ; acide nocotinique : 500 %.

Extrait de : E. BORDEAUX-SZEKELY (E.) : *"La vie biogénique"* - Editions Soleil, 1982, Genève.

Le fenouil est légèrement fibreux et très goûteux ; quelques pincées suffisent pour apprécier sa saveur et ses bienfaits.

On peut aussi le hacher finement pour aromatiser sauces à salades, farces, potages, poissons ; les gourmets apprécieront !

On peut également en faire une poudre condimentaire anisée, plus pratique d'utilisation. Pour cela, faire germer du fenouil en bonne quantité, puis sécher au four (max. 45 °C), au soleil ou sur un radiateur. Réduire en poudre dans le moulin à café et conserver dans un bocal fermé dans l'armoire de la cuisine.

EN SAUCE

- 1 t. de fenouil germé.
- réjuvélac (voir le blé à table) ou de l'eau.
- 2 c.s. d'huile d'olive.
- quelques gouttes de tamari ou de sauce soja.
- 4 c.s. de levure.

Broyer au mixeur les graines avec un peu de réjuvélac, puis transférer dans une saucière. Ajouter l'huile, le tamari et la levure, mélanger et servir.

TOMATES FARCIES

- 2 t. de fenouil germé.
- 4 belles tomates.
- réjuvélac (voir le blé à table) ou de l'eau.
- quelques gouttes de citron.
- quelques gouttes de tamari ou de sauce soja.
- 1 c.s. de levure.

Couper les chapeaux et évider les tomates. Broyer grossièrement au mixeur les graines et l'évidage des tomates avec un peu de réjuvélac. Transférer dans un bol, ajouter le citron, le tamari et la levure et mélanger. Farcir les tomates.

Extrait de AUBERT (C) : *"Onze questions clefs sur l'agriculture, l'alimentation, la santé et le tiers-monde",* Terre Vivante, Paris, 1983.

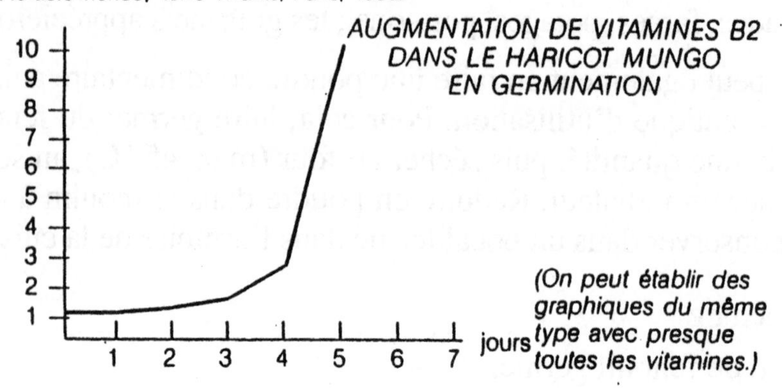

Résultats enregistrés au cours de la germination des graines d'avoine, orge et maïs
(extrait de Burkholder, P.R. Vitamins in deshydrated seeds and sprouts, Science 97,562 - 1943)
(résultats donnés en mcg par gramme de matière sèche)

(mg par graine)	avoine		orge		maïs	
	grain	germe	grain	germe	grain	germe
Matière sèche	19.3	14.8	35.6	30.2	31.5	27.1
Vit.B2	0.8	11.6	0.9	7.2	1.1	4.3
Vit.PP	7.5	44	67.5	115	9.5	39.5
Vit.H	0.9	1.4	0.32	0.91	0.21	0.54
Vit.B5	7.6	22	5.4	10	4.2	7.7
Vit.B6	0.3	1.8	0.2	0.5	0.7	0.8
Acide folique	22	143	14.5	50	10	45
Vit.B1	11.3	12.2	6.8	9	5.5	5.5

Comme le fenugrec germé est amer, on le consommera en petite quantité. Pour le faire passer plus facilement, on peut le réduire en poudre d'assaisonnement à l'agréable goût de curry, pour relever sauces à salades, potages et farces.

TOMATES FARCIES

- 1 t. de fenugrec germé.
- 1/4 t. d'oignon germé.
- 4 belles tomates.
- 1 c.s. d'huile d'olive.
- réjuvélac (voir le blé à table) ou de l'eau.
- 2 c.s. de fromage blanc ou de yaourt nature.
- quelques gouttes de citron.

Couper les chapeaux et évider les tomates. Broyer grossièrement au mixeur les graines et l'évidage des tomates avec un peu de réjuvélac. Transférer dans un bol puis ajouter les autres ingrédients et mélanger. Farcir les tomates.

EN CRÈME

- 1/2 t. de fenugrec germé.
- 1/4 t. de noisettes moulues.
- 2 t. de fromage blanc ou de yaourt nature.
- 1 pomme râpée.

Broyer tous les ingrédients au mixeur. Servir rapidement.

EN POUDRE CONDIMENTAIRE

- fenugrec germé de deux jours de germination.

Etaler les graines sur une plaque puis faire sécher au four (max. 40°C), ou sur un radiateur. Réduire en poudre.
Ce condiment se conserve très bien dans un bocal en verre fermé.

EN POUDRE TONUS

Le fenugrec en poudre est un condiment très apprécié en cuisine pour son amertume, mais c'est aussi et surtout un reconstituant de premier ordre, peut-être le meilleur.
Cette graine est couramment utilisée en cosmétique, dans les tisanes et autres fortifiants… et rarement dans nos plats ! Il est temps de profiter de cette graine bonne à tout faire.

Le fenugrec, c'est du tonus mis en graine et en poudre, aux propriétés explosives. Il est prescrit en phytothérapie et en nutrithérapie pour toutes les insuffisances (de poids, de sang, de force, de vitalité) ; c'est une graine qu'il est toujours bon d'avoir chez soi, germée ou en poudre.
Le fenugrec est à l'occident ce que le ginseng est à l'orient : tonus, force, vitalité et puissance. Il raffermit le corps, les muscles, la peau, les ongles et même les cheveux… en Asie c'est un condiment très prisé, il entre dans la composition du curry.

On peut directement réduire les semences en poudre (avec un moulin à café) ou les faire germer puis les sécher pour seulement ensuite les réduire en poudre.
La germination a l'avantage de nous offrir des nutriments "prédigérés", donc directement assimilables. Un minimum d'efforts digestifs pour un maximum de rendement, c'est le jackpot !

Les lentilles germées sont fibreuses et demandent un certain temps de mastication. Pour ramollir ces graines, on peut les mélanger aux mets chauds (soupes, purée de légumes et céréales), sans qu'elles perdent leurs propriétés d'aliments vivants.
Là où il faut apporter de la consistance et de la vie à une soupe, une purée de pommes de terre ou une farce de vol-au-vent, la lentille fait l'affaire. Une affaire de deux minutes, juste le temps qu'ellse se réchauffent.

Les lentilles peuvent être ajoutées aux salades, garnir les repas de crudités, farcir les tomates ou constituer la base d'un repas complet et très digeste : le taboulé.

Une autre façon pratique de les consommer est de les broyer avec un peu d'eau pour épaissir les soupes, les farces et les sauces à salades.
Comme ces graines sont fibreuses, elles passeront mieux, il y aura moins à mastiquer.

EN TABOULÉ

- 2 t. de lentilles germées.
- 1/2 t. d'oignon germé haché fin.
- 2 tomates coupées en morceaux.
- 1/2 t. de persil haché.
- 1 c.s. de citron pressé.
- 2 c.s. d'huile d'olive.

Mélanger le tout et servir frais.
Ce taboulé se conserve très bien quelques jours au frigo, dans un récipient fermé.

TOMATES FARCIES

- 4 belles tomates.
- 2 t. de lentilles germées.
- 1 c.s. de levure.
- basilic haché.
- quelques gouttes de citron.
- quelques gouttes de tamari ou de sauce soja.

Couper les chapeaux et évider les tomates. Broyer grossièrement au mixeur les graines et l'évidage des tomates avec un peu de réjuvélac, puis transférer dans un bol. Ajouter et mélanger les autres ingrédients. Farcir les tomates. Servir frais.

Comme la moutarde se cultive généralement mélangée avec l'alfalfa, son utilisation se confond avec cette dernière, tout en apportant sa touche piquante fort appréciée.
Son intérêt principal est d'aromatiser les salades, les sauces, les sandwiches et les farces.

LE GASPACHO ÉPICÉ

- 2 t. d'alfalfa/moutarde germé.
- 1 t. de tournesol trempé.
- 6 tomates bien mûres avec la peau fine.
- 1 poivron.
- 1 gousse d'ail, écrasé.
- 1 petit oignon.
- 1/2 t. de persil.
- 2 t. de réjuvélac (voir le blé à table) ou de l'eau froide.

Broyer tous les ingrédients au mixeur jusqu'à liquéfaction complète. Servir froid.

EN ENROULÉS ÉPICÉS

- 2 t. d'alfalfa/moutarde germé.
- 1/2 t. d'oignon germé émincé.
- 1 avocat écrasé.
- quelques feuilles de salade.
- quelques gouttes de tamari ou de sauce soja.

Mélanger les graines avec l'avocat et le tamari. Rouler dans des feuilles de salade verte.

AUGMENTATION DU CAROTÈNE (PRÉCURSEUR DE LA VITAMINE A) DANS DIVERSES GRAINES

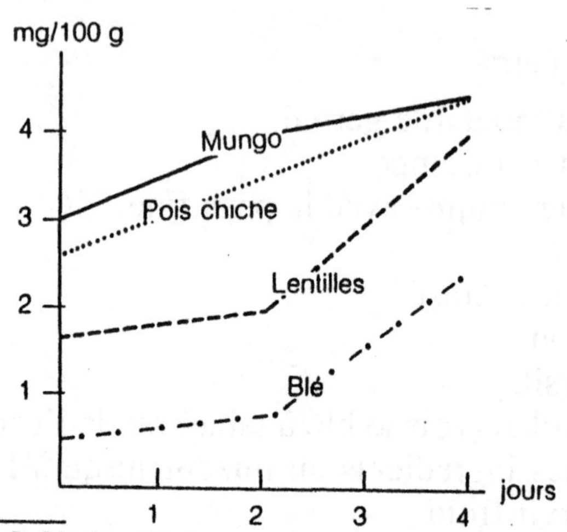

Extrait de : Dr SOLEIL : *"Graines germées et jeunes pousses"* - Editions Soleil, 1985, Genève.

Des études d'origine asiatique* montrent que des fèves de soja Bonsey mises à germer à 28 °C dans un endroit sombre doublent la teneur en carotène en 48 heures ; elle augmente de 280 % en 54 h et de 370 % en 72 h. La riboflavine augmente de 100 % après 54 h et l'acide nicotinique double en 72 h.

* Wai, Tso, Bishop, Mack, Cotton, "Plant Physiology" 22 : 117, 1947.

Extrait de : GELINEAU (C.) : *"La germination dans l'alimentation"*, Gélineau Claude-Sherbrooke, 1978. Bibliothèque nationale du Québec et bibliothèque nationale du Canada.

Voici l'oignon germé, très parfumé et si apprécié pour sa saveur et sa facilité d'utilisation. Il a tous les avantages de l'oignon bulbe sans en avoir les inconvénients : pas besoin d'être pelé et pas de pertes car on prélève juste ce dont on a besoin.
Mélangé aux salades et dans les sandwiches, haché fin dans les soupes ou broyé dans les sauces, on ne saurait se passer d'une pareille alternative… germée !
L'oignon germé fait bel effet en garniture des plats. Utiliser juste avant de servir, pour éviter qu'il ne s'assèche.

EN SAUCE

- 1 t. d'oignon germé.
- 1/2 t. de réjuvélac (voir le blé à table) ou de l'eau.
- 1 c.s. d'huile d'olive.
- 2 c.s. de yaourt nature.
- quelques gouttes de tamari ou de sauce soja.
- 2 c.s. de levure.

Broyer au mixeur les graines avec le réjuvélac puis transférer dans un saucier et ajouter les autres ingrédients. Mélanger et servir comme sauce d'accompagnement des crudités.

EN JUS

- 2 t. d'oignon germé.
- 2 t. de réjuvélac ou de l'eau.
- quelques gouttes de tamari ou de sauce soja.
- quelques gouttes de jus de citron.
- poivre de Cayenne ou noix de muscade.

Broyer au mixeur les graines avec le réjuvélac jusqu'à la liquéfaction complète puis filtrer dans une passoire. Ajouter le poivre de Cayenne ou la noix de muscade. Servir froid.

EN ENROULÉS

- 1/2 t. d'oignon germé haché fin.
- 4 avocats.
- 1 poivron coupé en petits morceaux.
- 1 gousse d'ail écrasé.
- 1 pincée de poudre de fenugrec ou de curry.

Ecraser l'avocat et mélanger aux autres ingrédients. Servir enroulé dans des feuilles de salade.

EN FARCE

- 1/2 t. d'oignon germé.
- 1 t. de sarrasin germé.
- 1/2 t. de persil.
- quelques gouttes de citron.
- quelques gouttes de tamari ou de sauce soja.
- réjuvélac (voir le blé à table) ou de l'eau.
- 2 avocats écrasés.

Broyer grossièrement au mixeur les graines et le persil avec un peu de réjuvélac, puis transférer dans un bol. Ajouter les autres ingrédients et mélanger. Farcir les tomates, remettre les chapeaux et servir.

Le pois chiche germé est fibreux et demande un certain temps de mastication. Pour le ramollir, on peut le mélanger aux plats chauds : soupes, potée de légumes et de céréales. Au contact de la chaleur, il devient plus tendre et garde ses qualités d'aliment vivant.
Une autre façon de le consommer est de le broyer et de le réduire en purée avec un peu de réjuvélac. Epicée à votre convenance, cette purée est un complément au repas qui tient bien au ventre.

LE HUMMOS

- 2 t. de pois chiches germés.
- 1 à 2 gousses d'ail écrasé.
- 2 c.s. de jus de citron.
- 1 c.s. d'huile d'olive.
- réjuvélac (voir le blé à table) ou de l'eau.

Broyer au mixeur les ingrédients avec un minimum de réjuvélac, puis transférer le broyat dans un bol. Malaxer et assaisonner avec du curry, du poivre et/ou du sel.

EN PURÉE

- 1 t. de pois chiche germé.
- 1 avocat.
- réjuvélac (voir le blé à table) ou de l'eau.
- quelques gouttes de tamari ou de sauce soja.
- curry en poudre ou autre condiment.

Broyer au mixeur les graines avec un peu de réjuvélac, puis transférer dans un bol et mélanger à l'avocat. Ajouter le tamari et le curry.
Servir sur canapés ou enroulés dans des feuilles de salade.

RÉCHAUFFÉ

Le pois chiche est fibreux et il y a à mastiquer ! Cela serait dommage de s'en passer pour autant, il y a tant à en tirer ! Des sucres, des acides aminés et des fibres, dont de la lignine, un peu dure cette fibre-là, c'est vrai !
Pour ramollir cette fibre coriace, mettre les germes dans le potage bien chaud (sans les cuire). La chaleur ramollit les fibres, sans altérer la vitalité des germes.

On peut mettre du pois chiche dans un potage mais aussi dans tous les plats chauds : purées de pommes de terre, de légumes, potées de céréales (millet, sarrasin), omelettes. Il apportera du croquant.

Les recettes sont variées : laits, yaourts, fromages, crudités, sucrés ou salés, au choix.
Le quinoa se mélange aux salades, garnit les crudités et les hors-d'œuvres.
Une poignée dans la soupe ou dans les mets chauds est une bonne façon d'en augmenter la consistance.

EN LAIT

- 1 t. de quinoa de deux jours de germination.
- 2 t. d'eau chaude ou froide.

Broyer au mixeur les graines avec l'eau jusqu'à liquéfaction complète. Filtrer à l'aide d'une passoire et récupérer le lait.
Ce lait se conserve trois jours au frigo dans une bouteille fermée.
Le broyât se conserve au frigo dans un récipient fermé en attendant l'occasion de l'utiliser dans une sauce, une soupe ou une farce.

EN LAIT FRUITÉ

- lait de quinoa.
- 2 dattes trempées, dénoyautées.
- fruits frais, banane, mûres, framboises.

Broyer tous les ingrédients au mixeur jusqu'à liquéfaction complète. Servir frais.

EN PURÉE SUCRÉE

- 1 t. de quinoa germé.
- un peu réjuvélac (voir le blé à table) ou de l'eau.
- 1 banane écrasée.

Broyer au mixeur les graines avec un peu de réjuvélac, puis transférer dans un bol. Ajouter la banane et mélanger.

EN PURÉE SALÉE

- 2 t. de quinoa germé.
- un peu de réjuvélac (voir le blé à table) ou de l'eau froide ou chaude.
- 1 avocat écrasé.
- quelques gouttes de tamari ou de sauce soja.

Broyer au mixeur les graines avec un peu de réjuvélac, puis transférer dans un bol et mélanger à l'avocat. Assaisonner avec le tamari et bon appétit !

EN SALADE

- 4 t. de quinoa germé.
- 1/2 t. d'oignon ou de radis germé haché.
- 2 tomates coupées.
- 1/4 de concombre coupé en dés.
- fromage de féta coupé en dés.

Mélanger le tout. Servir frais.

EN FARCE

- 2 t. de quinoa germé.
- 4 belles tomates.
- réjuvélac ou de l'eau.
- basilic haché ou autres herbes aromatiques.
- quelques gouttes de citron.
- quelques gouttes de tamari ou de sauce soja.
- 1 à 3 c.s. de levure.

Couper les chapeaux et évider les tomates. Broyer grossièrement au mixeur les graines et l'évidage des tomates avec un peu de réjuvélac. Transférer dans un bol puis ajouter le citron, le tamari et la levure. Mélanger et farcir les tomates. Servir frais.

Le radis germé est bien plus goûteux que son homonyme… en bottes ! Graine aromatique par excellence, il se prête bien à toutes les préparations qui demandent du goût.

EN SAUCE

- 1 t. de radis germé.
- 1 tomate bien mûre avec la peau fine.
- 4 c.s. d'huile d'olive.
- levure.

Broyer au mixeur le radis et la tomate, puis transférer dans un bol. Ajouter l'huile et la levure (1 à 3 c.s.), pour obtenir la consistance désirée.

EN FARCE

- 1 t. de radis germé.
- 1 t. de sarrasin germé.
- 4 belles tomates.
- réjuvélac (voir le blé à table) ou de l'eau.
- quelques gouttes de tamari ou de sauce soja.

Couper les chapeaux et évider les tomates. Broyer grossièrement au mixeur les graines et l'évidage des tomates avec un peu de réjuvélac. Transférer dans un saladier, ajouter le tamari, mélanger et farcir les tomates. Servir frais.

EN COCKTAIL

- 1 t. de radis germé.
- 2 tomates bien mûres avec la peau fine.
- 1/4 de concombre coupé en morceaux.
- 1 t. de réjuvélac (voir le blé à table) ou de l'eau.
- quelques gouttes de tamari ou de sauce soja.

Broyer les ingrédients au mixeur, filtrer, prélever le liquide et santé !

EFFET DE LA GERMINATION SUR LA TENEUR EN CAROTÈNE DES CÉRÉALES ET DES LÉGUMINEUSES

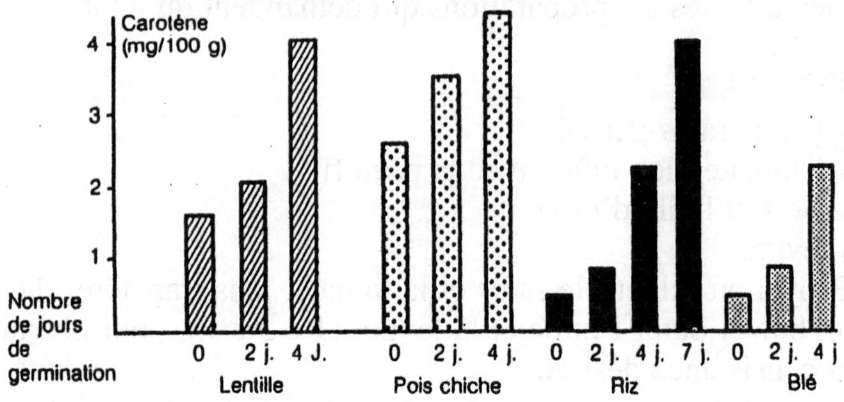

La teneur du blé et du riz en carotène (provitamine A) est multipliée par 10 en 7 jours.

Extrait de : AUBERT (C.) - Article sur la germination des graines - Les Quatre Saisons du Jardinage - N° 27, juillet-août 1984.

PRODUCTION DE CALCIUM DANS LA GRAINE D'AVOINE EN GERMINATION (pour une végétation poursuivie pendant environ 6 semaines)

Variétés	Noire du Prieuré	Panache De Roye	Nuprimé
Poids d'une graine (moyenne de plusieurs lots)	37,125	25,885	21,685
Ca, dans les témoins	0,0348	0,0263	0,02165
Ca, dans les plantules	0,155	0,106	0,100
Soit une augmentation de Ca de	316 %	351 %	367 %

Extrait de : KERYRAN (C.L.) : *"Transmutations à faible énergie"*, Librairie Maloine S.A., Paris, 1972.

La roquette est la princesse des graines germée aromatiques. Bien qu'elle soit cultivée mélangée à l'alfalfa, sa présence ne passera pas inaperçue, pour le plus grand plaisir de nos papilles gustatives et de nos convives, tout étonnés de retrouver une saveur connue sous une forme inhabituelle.

La roquette s'utilise donc comme l'alfalfa : dans les salades, les sandwiches et les crudités.

LE GASPACHETTO

- 2 t. d'alfalfa/roquette germé.
- 1 t. de tournesol trempé.
- 6 tomates bien mûres avec la peau fine.
- 1 poivron.
- 1 gousse d'ail écrasé.
- 1 petit oignon.
- 1/2 t. de persil.
- 2 t. de réjuvélac (voir le blé à table) ou de l'eau froide.

Broyer tous les ingrédients au mixeur jusqu'à liquéfaction complète. Servir froid.

EN ENROULETTES

- 2 t. d'alfalfa/roquette germé.
- 1/2 t. d'oignon germé émincé.
- 1 avocat écrasé.
- quelques feuilles de salade.
- quelques gouttes de tamari ou de sauce soja.

Mélanger les graines avec l'avocat et le tamari. Rouler dans des feuilles de salade verte.

TENEUR EN LYSINE UTILISABLE DES CÉRÉALES AVANT ET APRÈS GERMINATION

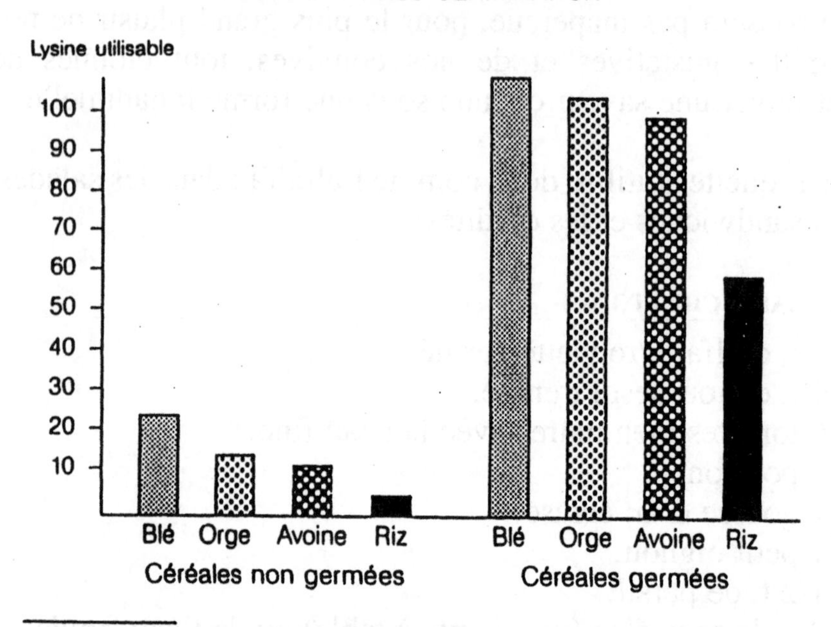

Extrait de : AUBERT (C.) : *Article sur la germination des graines - Les Quatre Saisons du Jardinage*, N° 27, Juillet-Août 1984.

AUGMENTATION DE LA TENEUR EN VITAMINES GRACE AU PROCESSUS DE GERMINATION, MESURÉE SUR DU BLÉ GERMÉ DE 5 JOURS

Vitamines :	*Mesurées sous la forme de :*	*Augmentation en % par rapport à la céréale non germée*
B1	Thiamine	jusqu'à 20
B2	Riboflavine	300
PP	Niacine	10-25
Acide pantothénique		40-50
B6	Pyridoxine	200
C	Acide ascorbique	500
A	Carotène	225

Extrait de : WATZL (B.) : Article de l'"*Institut für Ernährungswissenschaft*", Giessen, 1982.

Le sarrasin germé est la graine qu'il est toujours bon d'avoir sous la main. C'est la "patate" des graines germées, aux multiples possibilités de préparations. Sa saveur au goût de cacahuète permet de préparer des plats sucrés ou salés. Sa texture est très agréable, avec juste ce qu'il faut comme fibres pour apporter de la consistance au repas.
Le sarrasin (avec la lentille et le quinoa), peut constituer la base d'un repas complet qui tient bien au ventre : le taboulé.

Le sarrasin se consomme aussi mélangé aux soupes, aux pâtes, aux potées de légumes et de céréales. Il apporte une touche croquante et vivante qui passe très bien dans les plats chauds.

EN MÜESLI

- 2 t. de sarrasin germé.
- 1/4 t. de raisins secs trempés.
- 1 pomme râpée ou autre fruit ; banane, fraises.
- 1/2 yaourt nature.
- 1 c.c. de jus de citron mélangé au yaourt.

Mélanger le tout et consommer rapidement.

EN TABOULÉ

- 2 t. de sarrasin germé.
- 1/2 t. d'oignon germé haché fin.
- 2 tomates coupées en petits morceaux.
- persil haché fin.
- 1 c.s. de jus de citron.
- 2 c.s. d'huile d'olive.

Mélanger le tout et servir frais.
Ce taboulé se conserve très bien quelques jours au frigo, dans un récipient fermé.

EN FARCE

- 2 t. de sarrasin germé.
- 4 belles tomates.
- quelques feuilles de basilic.
- quelques gouttes de citron.
- quelques gouttes de tamari ou de sauce soja.
- un peu de réjuvélac (voir le blé à table) ou de l'eau.
- 2 c.s. de levure.

Couper les chapeaux et évider les tomates. Broyer grossièrement au mixeur les graines et l'évidage des tomates avec un peu de réjuvélac. Transférer dans un bol puis ajouter les autres ingrédients et mélanger. Farcir les tomates et servir frais.

EN PURÉE SUCRÉE

- 1 t. de sésame trempé.
- 1 t. de tournesol trempé.
- 2 c.s. d'huile de tournesol.
- fruits frais ; banane, pêche.
- réjuvélac (voir le blé à table) ou de l'eau.

Broyer au mixeur les graines avec un peu de réjuvélac, puis transférer dans un bol et mélanger aux autres ingrédients.

EN PURÉE SALÉE

- 1 t. de sésame trempé.
- herbes aromatiques ; basilic, coriandre.
- 2 c.s. d'huile d'olive.
- 1 avocat écrasé.
- un peu de réjuvélac (voir le blé à table) ou de l'eau.

Broyer au mixeur les graines et les herbes aromatiques avec un peu de réjuvélac. Transférer dans un bol, ajouter l'huile, l'avocat et le citron et mélanger. Consommer tout de suite.

EN CRÈME

- 1/2 t. de sésame trempé.
- 2 t. de fruits secs trempés ; abricots, pruneaux, figues.
- 1/2 t. de réjuvélac ou de l'eau.
- 4 bananes mûres.
- quelques gouttes de citron.

Broyer au mixeur les graines et les fruits avec le réjuvélac jusqu'à liquéfaction complète. Transférer dans un bol puis ajouter le citron et les bananes, mélanger et consommer tout de suite.

Le soja germé peut se mélanger aux préparations sucrées ou salées. On peut ajouter une à deux cuillères à soupe dans le müesli, la salade de fruits, la salade verte, les farces, ainsi que dans la soupe, les pâtes, le riz et les mets chauds.

EN TABOULÉ

- 2 t. de soja germé.
- 1/2 t. d'oignon germé haché fin.
- 2 tomates coupées en petits morceaux.
- persil haché fin.
- 2 c.s. d'huile d'olive.

Mélanger le tout et servir frais.

TOMATES FARCIES

- 2 t. de soja germé.
- 4 belles tomates.
- réjuvélac (voir le blé à table) ou de l'eau.
- quelques gouttes de tamari ou de sauce soja.
- 1 à 3 c.s. de levure.

Couper les chapeaux et évider les tomates. Broyer grossièrement au mixeur les graines et l'évidage des tomates avec un peu de réjuvélac. Transférer dans un bol puis ajouter les autres ingrédients, et mélanger. Farcir les tomates et servir frais.

TENEUR EN VITAMINE C
DES GRAINES DE SOJA EN COURS DE GERMINATION

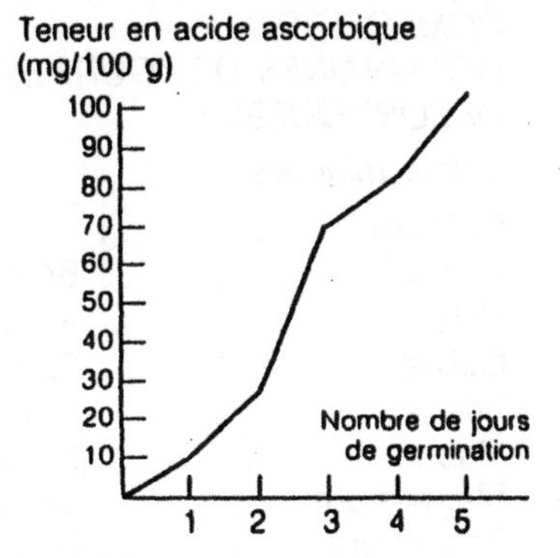

Extrait de : AUBERT (C.) : *Article sur la germination des graines - Les Quatre Saisons du Jardinage* - N° 27, juillet-août 1984.

VALEUR NUTRITIVE
POUR 100 G DE POUSSES
D'HARICOT MUNGO :

Calcium	10 mg
Carotène	25 u.i.
Graisses	0,1 mg
Fer	2,0 mg
Acide nicotine	
Phosphates	52 mg
Protéines	2.8 mg
Sodium	6 mg
Sucre	1.3 mg
Vitamine A	8 u.i.
Vitamine B1	0.15 mg
Vitamine B2	0.06 mg
Vitamine C	30 mg

Analyse approximative : 100 %

COMPOSITION
DES GRAINES DE TOURNESOL
DÉCORTIQUÉES :

Valeur minérale :

Calcium	57 mg
Cobalt	64 ppm
Iode	20 ppm
Cuivre	20 ppm
Fer	7 mg
Fluorine	2,6 ppm
Magnésium	347 mg
Phosphore	860 mg
Potassium	630 mg
Sodium	0,4 mg
Zinc	66,6 ppm

ACIDES AMINÉS DANS LES PROTÉINES DU TOURNESOL

Arginine	7,2 %
Histidine	2,1 %
Lysine	4,4 %
Tryptophane	1,5 %
Phenylalanine	4,0 %
Méthionine	3,5 %
Thréonine	5,9 %

Extrait de WIGMORE (A.) : *"Healthy Children - nature's way"*, Institut Hippocrate, Boston.

Une cuillère à soupe de ces petites graines peut accompagner chaque repas, du petit déjeuner au souper. Le tournesol trempé se mélange aux müeslis, aux salades de fruits et aux potages. Broyé, il permet de préparer des crèmes, des purées, ou d'épaissir les sauces à salade et les farces.

EN YAOURT

- 1 t. de tournesol trempé.
- 1 t. de sésame trempé.
- 2 t. de réjuvélac (voir le blé à table).

Broyer au mixeur les graines avec le réjuvélac et transférer dans des pots à yaourt. Placer douze heures au chaud (20 à 25 °C) pour l'étape de la fermentation.
Ce yaourt se conserve trois jours au frigo.

EN FROMAGE

- 1 t. de tournesol trempé.
- 1 t. de sésame trempé.
- 1/2 t. de réjuvélac (voir le blé à table).

Broyer au mixeur les graines avec un minimum de réjuvélac jusqu'à la liquéfaction complète. Filtrer dans un tissu et laisser égoutter quelques minutes. Transférer le broyat dans un récipient en verre, recouvrir et placer deux à trois jours au chaud (20 à 25 °C) pour l'étape de la fermentation.
Après fermentation, on peut mélanger ail, oignon et autres fines herbes à ce fromage.
Le fromage nature se conserve trois jours au frigo dans un récipient fermé.
Assaisonné, il se consomme dans la journée.

EN CRÈME

- 1 t. de tournesol trempé.
- 1 t. de réjuvélac (voir le blé à table) ou de l'eau.
- 2 bananes écrasées.

Broyer au mixeur le tournesol et le réjuvélac puis transférer dans un bol et mélanger aux bananes.

EN PURÉE

- 3 t. de tournesol trempé.
- quelques gouttes de tamari ou de sauce soja.
- réjuvélac (voir le blé à table) ou de l'eau.
- 2 c.s. de levure.

Broyer au mixeur les graines avec un peu de réjuvélac, puis filtrer dans une passoire. Transférer le broyat dans un bol, ajouter le tamari et la levure et mélanger.

EN TRUFFES

- 1 t. de tournesol trempé.
- 1/2 t. d'amandes trempées puis écalées.
- 2 c.s. de cacao en poudre.
- réjuvélac (voir le blé à table) ou de l'eau.
- noix de coco râpée.

Broyer au mixeur les graines avec un peu de réjuvélac, puis filtrer dans une passoire. Transférer le broyat dans un bol et mélanger le cacao. Former des boules et rouler dans de la noix de coco râpée.

	quantité	tremper	germer	rincer	baigner	sécher
alfalfa	**1 c.s.**	**5 h.**	**6 j.**	**3 x/j.**	**oui**	**8 h.**
amande	2 c.s.	10 h	1-3	2	non	10
blé	1 t.	7 h	2-3	2	non	8
courge	2 c.s.	7 h	1-3	2	non	8
cresson	**1 c.c.**	**2 mn.**	**5**	**2**	**oui**	**7**
fenouil	**1 t.**	**7 h**	**7**	**1**	**oui**	**10**
fenugrec	1 t.	10 h	4	3	non	8
lentille	2 t.	9 h	2	2	non	10
moutarde	**1 c.c.**	**2 mn.**	**5**	**2**	**oui**	**7**
oignon	**4 c.s.**	**10 h**	**9**	**4**	**non**	**8**
pois chiche	1 t.	10 h	2-3	2	non	9
quinoa	**1 t.**	**5 h**	**3**	**2**	**non**	**5**
radis	**4 c.s.**	**9 h**	**4**	**3**	**oui**	**7**
roquette	**1 c.c.**	**2 mn.**	**5**	**2**	**oui**	**7**
sésame	1 c.c.	5 h	1-3	2	non	6
sarrasin	2 t.	5 h	2-3	non	non	8
soja	1 t.	10 h	2-3	5	oui	5
tournesol	2 c.s.	5 h	1-3	2	oui	5

en gras : graines germées avec feuilles - autres : germes, sans feuille.
augmentation du volume des graines germées : 50 x ; germes : 5 x.

tableau d'utilisation

	déjeuner	salade	sauce	soupe	lait	caillé
alfalfa		**oui**		**év.**		
amande	oui	év.	oui	év.	oui	oui
blé	oui	év.				
courge	oui	oui	oui	oui	oui	oui
cresson		**oui**	**oui**	**év.**		
fenouil		**oui**	**oui**	**oui**		
fenugrec		oui	oui	oui		
lentille		oui	év.	oui		
moutarde		**oui**	**oui**	**év.**		
oignon		**oui**	**oui**	**oui**		
pois chiche		oui	év.	oui		
quinoa	**év.**	**oui**	**év.**	**oui**	**oui**	**év.**
radis		**oui**	**oui**	**oui**		
roquette		**oui**	**oui**	**év.**		
sésame	oui	oui	oui	év.	oui	oui
sarrasin	oui	oui		oui		
soja	oui	oui		oui		
tournesol	oui	oui	oui	oui	oui	oui

en gras : graines germées avec feuilles - autres : graines germes, sans feuille.
év : éventuellement.

EN FRANÇAIS

- Chantal et Lionel Clergeaud. Graines germées et jeunes pousses. Éditions Equilibre, 16 Rue Durrmeyer. 61100 Fleurs. France. 1989.
- Claude Gelineau. La germination par l'alimentation. Éditions Polygraff, Sherbrooke. PQ. Canada. 1978.
- Dr.Christian Tal Schaller. Graines germées, jeunes pousses. Éditions Vivez Soleil. BP.18. 74103 Annemasse. France.
- Jacques Pascal Cusin. Santé et vitalité par l'alimentation vivante. Éditions Albin Michel.
- Marie-José Lavigne. Pousses et graines germées, plus de 25 recettes appétissantes, saines, faciles. Éditions Tournesol. Quebec. Canada.
- Max Labbé. Ces étonnantes graines germées. Auteur auto-édité. 3 Rue Emile-Level. 75017 Paris. France.
- Méli jo. Un micro-jardin dans votre cuisine. Éditions Meli. 1997.
- Michèle Cayla. Découvrez les graines germées. Éditions Nature et Progrès. 91730 France. ou : Éditions Chiron. 40 Rue de Seine. 75006 Paris. France.
- Michèle Karen. L'alimentation vivante, miracle de la vie. Éditions Vivez Soleil. BP 18. 74103 Annemasse. France.

EN ALLEMAND

- Gisela Aicher. Keime, Sprosses, Grünkraut. 7742 St. Georgen im Schwartzwald. Deutschland.
- Maren Bustorf-Hirsh. Keime und sprossen in der nature küche. Falken-Verlag GmbH Niederhausen. TS Germany.
- Rose-Marie Nöcker. Das grosse buch der sprossen und keime. Wilhelm Heyne Verlag. Munchen.1982.

EN ANGLAIS

- Ann Wigmore. The Sprouting Book. Avery Publishing Group Inc. Wayne. New Jersey. USA.
- Anne Wingmore. Recipes for longer life. Rising Sun Publication. Boston. 1978. USA.
- Anne Wigmore. The Wheatgrass Book. Avery Publishing Group Inc. Wayne. New Jersey. USA.
- Bernard Jensen. Seeds and Sprouts for Life. Bernard Jensen Publishing. Solano Beach. CA. USA.
- Kulwinskas. Sprout for the love of everybody. 21st. Century Publication PO.702 Fairfield. Iowa 52556.

ou : Omango Press. Wethersfield. Conn. USA. 1978.

- Sellmann Per and Gita. The complete sprouting book. Turnstone Press. Wellingborough. UK. 1981.
- Steve Meyerowitz. Recipes from the Sprout Man. Published by the Sprout House, Box 700. Sheffield. MA 01257. USA.
- Steve Meyerowitz. Growing Vegetables Indoors. Published by the Sprout House, Box 700. Sheffield. MA 01257. USA.

table des matières

Culture générale

Culture pratique

Culture spécifique

Recettes

Achevé d'imprimer en février 2018
sur les presses de la Nouvelle Imprimerie Laballery
58500 Clamecy

Dépôt légal : février 2018
Numéro d'impression : 801131

Imprimé en France

La Nouvelle Imprimerie Laballery est titulaire de la marque Imprim'Vert®

Tiré le [illegible] février 201[illegible]
Numéro d'impression : [illegible]

Imprimé en France

La Nouvelle Imprimerie Laballery est titulaire de la marque Imprim'Vert®